#홈스쿨링
#초등 영어 기초력

요즘은 혼공시대!
사교육 없이도 영어 기초력을 탄탄하게 쌓아 올리는 법,
똑똑한 하루 VOCA가 정답입니다.
똑똑한 엄마들이 선택하는 똑똑한 교재!
엄마들의 영어 고민을 덜어 줄 어휘 교재로 강추합니다.

영어책 만드는 엄마_ 이지은

영어는 스스로 재미를 느끼며 공부해야 실력이 늘어요.
똑똑한 하루 VOCA는 자기주도학습을 매일 실천할 수 있도록
설계되어 있어, 따라 하기만 해도 공부 습관을 키울 수 있어요.
재미있는 만화와 이미지 연상을 통해 영어 단어를 오래
기억하며 알차게 공부할 수 있어요.

미쉘 Michelle TV_ 김민주

#알파벳과 파닉스부터 #교과서의 단어와 문장까지 #똑똑하게 초등 어휘 완성하기

똑똑한 하루 VOCA

시리즈 구성 Level 1~4

Level 1 A, B	Level 2 A, B	Level 3 A, B	Level 4 A, B
3학년 과정	4학년 과정	5학년 과정	6학년 과정

4주 완성 스케줄표

3A

★ 공부한 날짜를 써 봐!

1주

1일 8~17쪽	2일 18~23쪽	3일 24~29쪽	4일 30~35쪽	5일 36~41쪽	특강 42~49쪽
파닉스 이중자음 ph, th, wh	파닉스 이중자음 ng, nk	파닉스 이중모음 ai, ee, oa	파닉스 이중모음 oo, ou	파닉스 이중자음, 이중모음 복습	
월 일	월 일	월 일	월 일	월 일	월 일

힘을 내! 넌 최고야!

2주

1일 50~59쪽	2일 60~65쪽	3일 66~71쪽	4일 72~77쪽	5일 78~83쪽	특강 84~91쪽
단어 국가	단어 음식	단어 맛	단어 허락 요청	단어 반의어	
월 일	월 일	월 일	월 일	월 일	월 일

계획대로만 하면 금방 끝날 거야!

배운 단어는 꼭꼭 복습하기!

3주

1일 92~101쪽	2일 102~107쪽	3일 108~113쪽	4일 114~119쪽	5일 120~125쪽	특강 126~133쪽
단어 사물	단어 여가 활동	단어 과목	단어 좋아하는 일	단어 반의어	
월 일	월 일	월 일	월 일	월 일	월 일

마지막 4주 공부 중. 감동이야!

4주

1일 134~143쪽	2일 144~149쪽	3일 150~155쪽	4일 156~161쪽	5일 162~167쪽	특강 168~175쪽
단어 장소	단어 집 내부	단어 집 안 물건	단어 일과	단어 복합어	
월 일	월 일	월 일	월 일	월 일	월 일

똑똑한 하루 VOCA 3A

똑똑한 QR앱 사용법

앱을 다운 받으세요.

편하고 똑똑하게!

방법 1

QR 음원 편리하게 듣기

1. 앱 실행하기
2. 교재의 QR 코드 찍기

링크 없이 음원이 자동 재생!

방법 2

모든 음원 바로 듣기

1. 앱 우측 하단의 + 버튼 클릭
2. 해당 Level → 주 → 일 클릭!

원하는 음원 찾아 듣기와 챈트 모아 듣기 가능!

Chunjae Makes Chunjae

똑똑한 하루 VOCA 3A

편집개발	김윤미, 하유미, 한새미, 박영미
디자인총괄	김희정
표지디자인	윤순미, 박민정
내지디자인	박희춘, 이혜미
삽화	윤재홍, 베로니카, 안홍준, 이선화, 이인아, 오연주
제작	황성진, 조규영

발행일	2021년 4월 1일 초판 2022년 10월 1일 2쇄
발행인	(주)천재교육
주소	서울시 금천구 가산로9길 54
신고번호	제2001-000018호
고객센터	1577-0902

※ 정답 분실 시에는 천재교육 교재 홈페이지에서 내려받으세요.

※ KC 마크는 이 제품이 공통안전기준에 적합하였음을 의미합니다.

※ 주의

책 모서리에 다칠 수 있으니 주의하시기 바랍니다.

부주의로 인한 사고의 경우 책임지지 않습니다.

8세 미만의 어린이는 부모님의 관리가 필요합니다.

똑 똑 한 하루 VOCA

3A

5학년 영어

파닉스 + 단어

똑똑한 하루 VOCA ★ LEVEL 3 A ★

구성과 활용 방법

한 주 미리보기

미리보기 활동

미리보기 만화

파닉스 1주

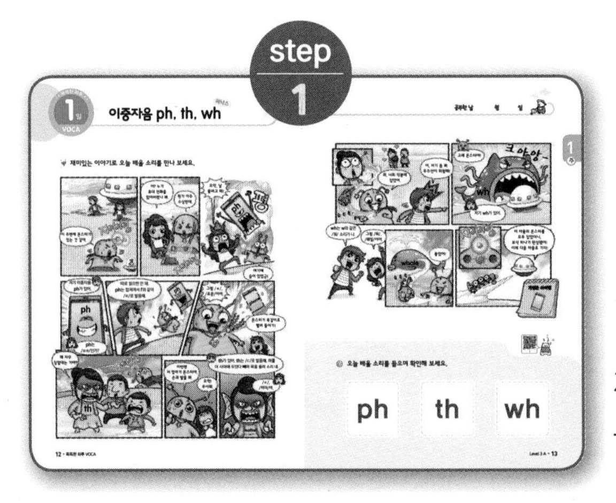

재미있는 만화를 읽으며
오늘 배울 소리를 만나 봐요.

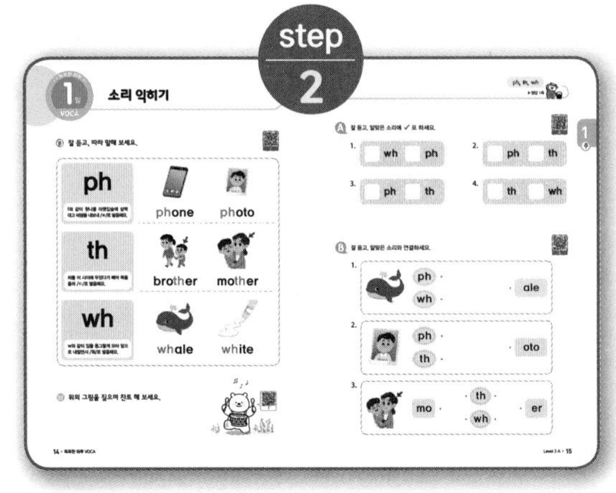

소리를 듣고 따라 말한 후 챈트 해 보세요.

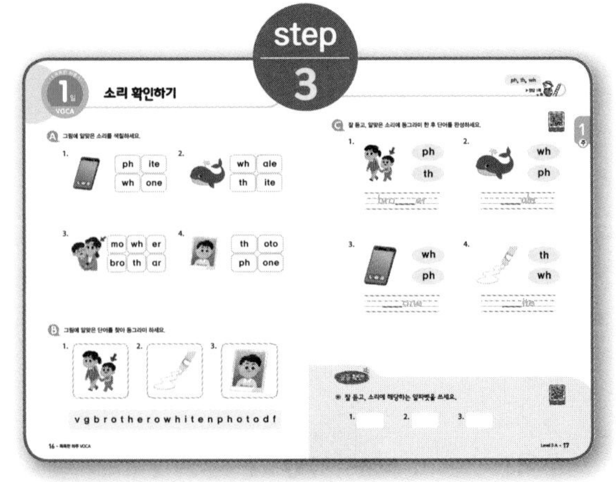

배운 소리를 문제로 확인해요.

QR앱을 다운
받아 보세요!

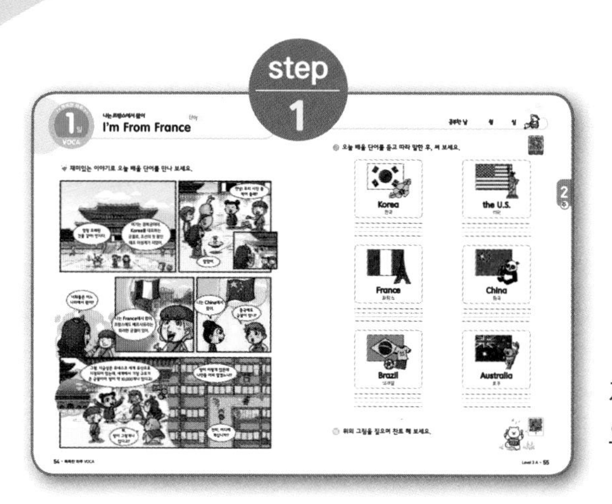

재미있는 만화를 읽으며
오늘 배울 단어의 의미를 추측해요.

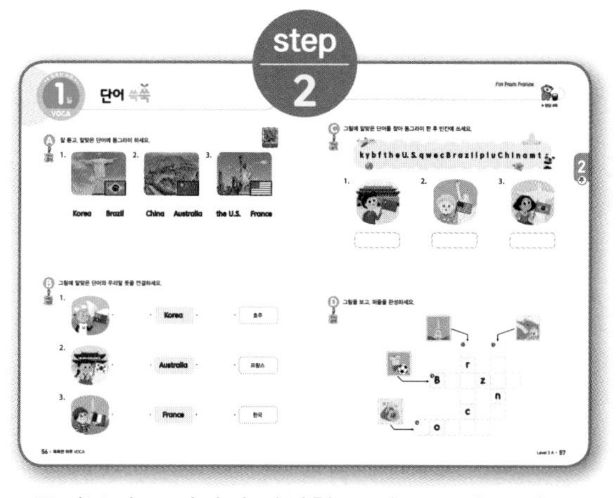

듣기부터 쓰기까지 다양한 문제를 풀어 보며
단어를 익혀요.

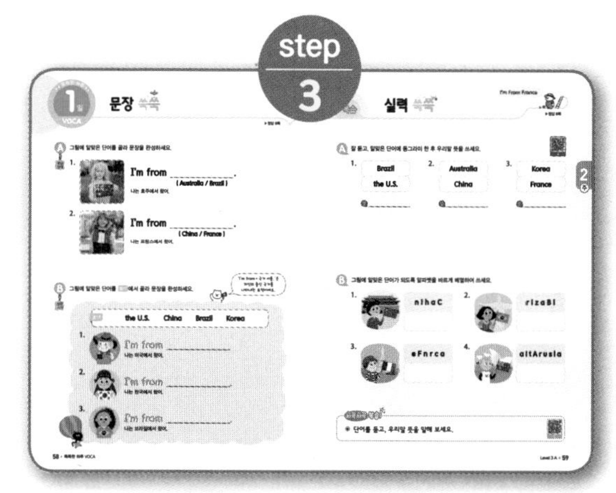

• 의미를 생각하며 문장 속에서 단어를 익혀요.
• 오늘 배운 단어를 복습하며 확인해요.

Brain Game Zone

한 주 동안 배운 내용을 창의·사고력 게임으로
재미는 두 배, 사고력은 UP!

말판 놀이

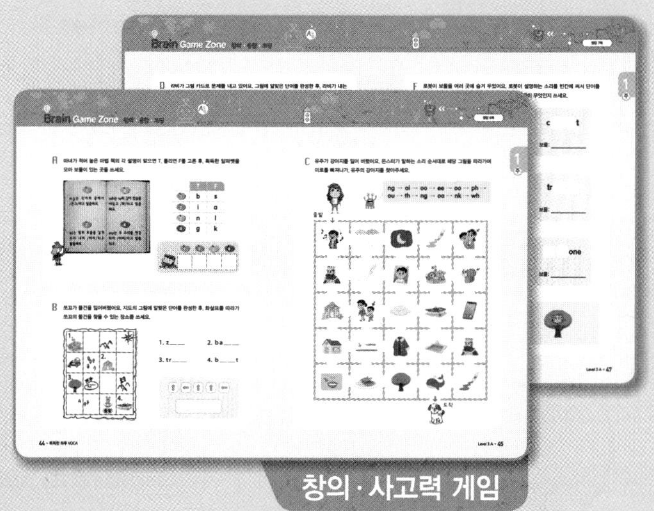

창의·사고력 게임

똑똑한 하루 VOCA

공부할 내용

1주 파닉스

2주 단어

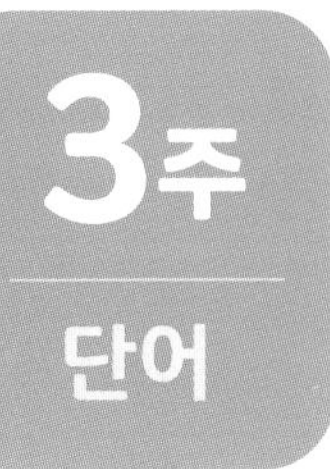
3주
단어

4주
단어

스페셜

SPECIAL VOCA 미리 보기

 반의어

서로 반대되는 뜻을 가진 단어를 말해요.

예 'cold(춥다)'와 'hot(덥다)'은 온도의 높고 낮음을 나타내는 반의어예요.

 다의어

두 가지 이상의 뜻을 가진 단어를 말해요.

예 fall은 '가을'이라는 뜻도 있지만 '떨어지다'라는 뜻도 있어요.

❶ 
❷ 

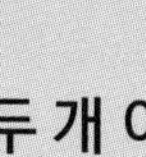 복합어

두 개 이상의 단어가 합쳐져서 새롭게 만들어진 단어를 말해요.

예 'snow(눈)'와 'man(남자)'이 합쳐져서 복합어 'snowman(눈사람)'이 돼요.

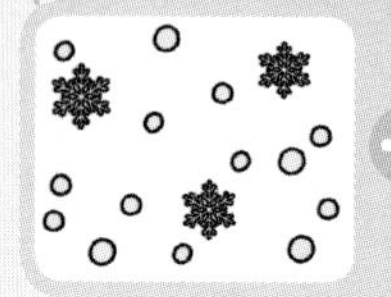

=

 구동사

두 개 이상의 단어가 합쳐져서 새로운 의미의 동작을 나타내는 어구를 말해요.

예 'put(놓다)'과 'on(~ 위에)'이 함께 쓰여 'put on(입다, 신다)'이 돼요.

put

on
=

함께 공부할 친구들

지구의 모든 것이 궁금한
장난꾸러기 외계인

좋아하는 것: 지구인 돕기
싫어하는 것: 일찍 일어나기
잘하는 것: 텔레파시 보내기

좋아하는 것: 지구의 맛있는 벌레
싫어하는 것: 우주선 밖으로 나오기
잘하는 것: 라비 챙기기

나이: 12살
좋아하는 것: 친구들 초대하기
싫어하는 것: 게임에서 지는 것

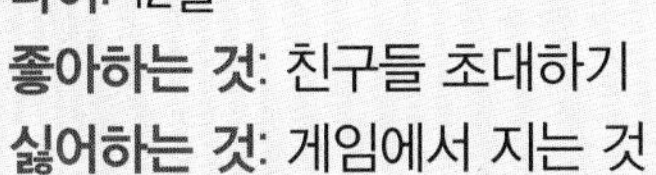

나이: 12살
좋아하는 것: 깜짝 퀴즈 내기
싫어하는 것: 시간 낭비

나이: 12살
좋아하는 것: 지구의 모든 음식
싫어하는 것: 외계 음식

1주 1주에는 무엇을 공부할까? 1

재미있는 이야기로 이번 주에 공부할 내용을 알아보세요.

지구 곳곳에서 사람이나
물건으로 변장해
지구인들을 괴롭히고 있어.

무엇으로 변장했든,
소리를 제대로 발음하면
이 목걸이에 가두어 다시
감옥으로 데려갈 수 있어.

1
주

1주차
공부할 내용

- 1일 이중자음 ph, th, wh
- 2일 이중자음 ng, nk
- 3일 이중모음 ai, ee, oa
- 4일 이중모음 oo, ou
- 5일 이중자음, 이중모음 복습

1 주 1주에는 무엇을 공부할까? ②

A

◉ 이중자음인 글자에 동그라미 해 보세요.

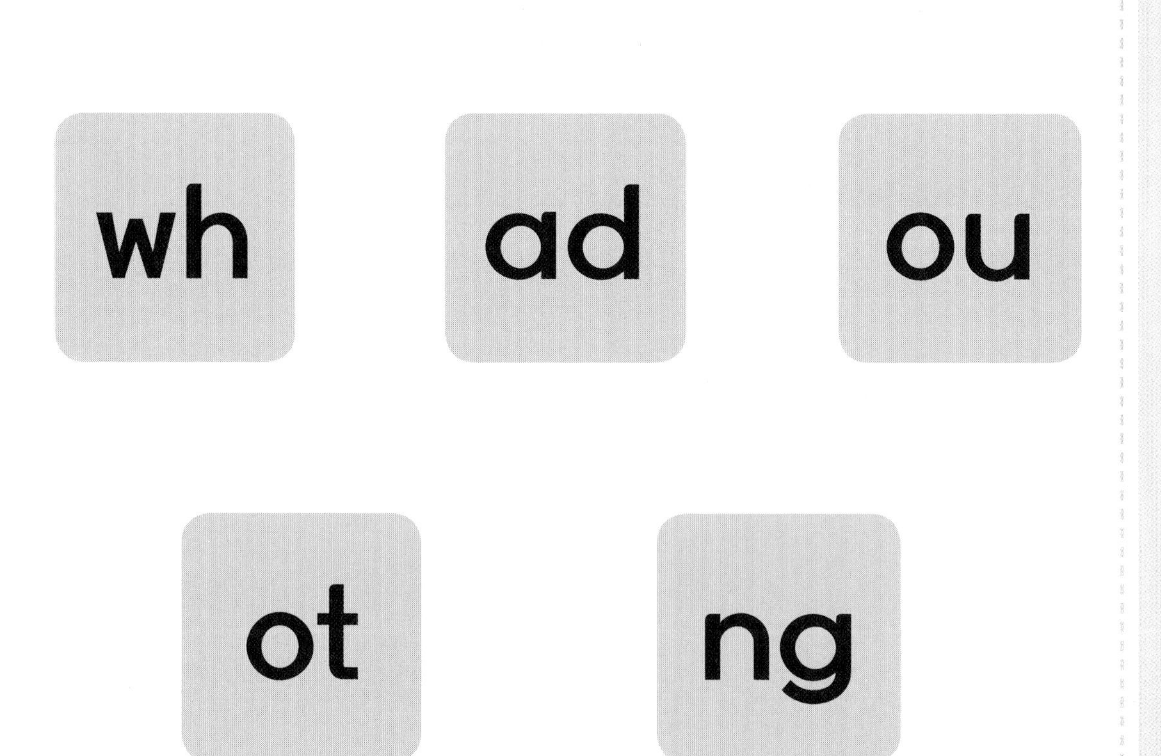

답 wh, ng

B

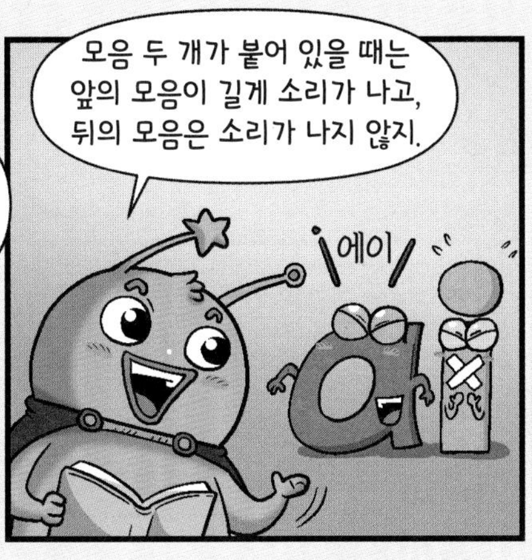

◉ 이중모음인 글자에 동그라미 해 보세요.

nk

it

oa

ee

ph

답 oa, ee

이중자음 ph, th, wh

파닉스

재미있는 이야기로 오늘 배울 소리를 만나 보세요.

오늘 배울 소리를 들으며 확인해 보세요.

ph

th

wh

소리 익히기

잘 듣고, 따라 말해 보세요.

ph

f와 같이 윗니를 아랫입술에 살짝 대고 바람을 내보내 /ㅍ/로 발음해요.

phone

photo

혀를 이 사이에 두었다가 빼며 목을 울려 /ㄷ/로 발음해요.

brother

mother

w와 같이 입을 동그랗게 모아 앞으로 내밀면서 /워/로 발음해요.

whale

white

위의 그림을 짚으며 챈트 해 보세요.

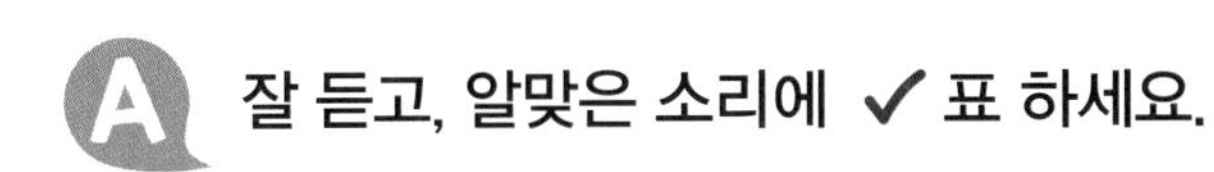

1. ☐ wh ☐ ph
2. ☐ ph ☐ th
3. ☐ ph ☐ th
4. ☐ th ☐ wh

B 잘 듣고, 알맞은 소리와 연결하세요.

1.
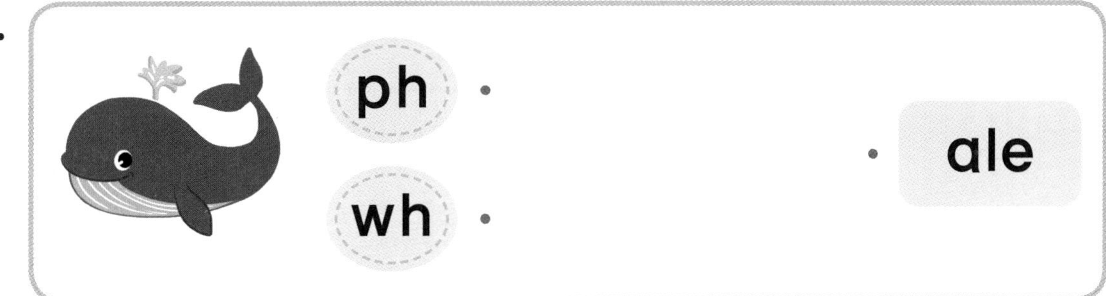

2.
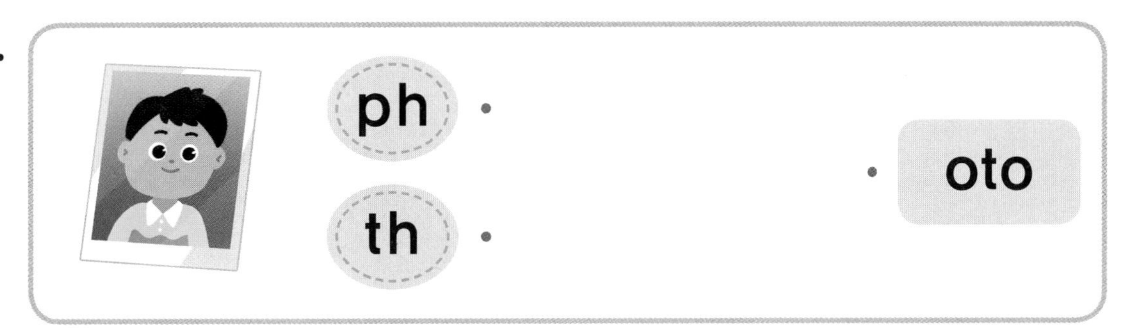

3.

소리 확인하기

A 그림에 알맞은 소리를 색칠하세요.

1. 

ph	ite
wh	one

2. 

wh	ale
th	ite

3. 

mo	wh	er
bro	th	ar

4. 

th	oto
ph	one

B 그림에 알맞은 단어를 찾아 동그라미 하세요.

1. 

2. 

3. 

v g b r o t h e r o w h i t e n p h o t o d f

C 잘 듣고, 알맞은 소리에 동그라미 한 후 단어를 완성하세요.

1.

ph
th

bro___er

2.

wh
ph

___ale

3.

wh
ph

___one

4.

th
wh

___ite

◉ 잘 듣고, 소리에 해당하는 알파벳을 쓰세요.

1.
2.
3.

이중자음 ng, nk

파닉스

재미있는 이야기로 오늘 배울 소리를 만나 보세요.

오늘 배울 소리를 들으며 확인해 보세요.

ng	nk

소리 익히기

잘 듣고, 따라 말해 보세요.

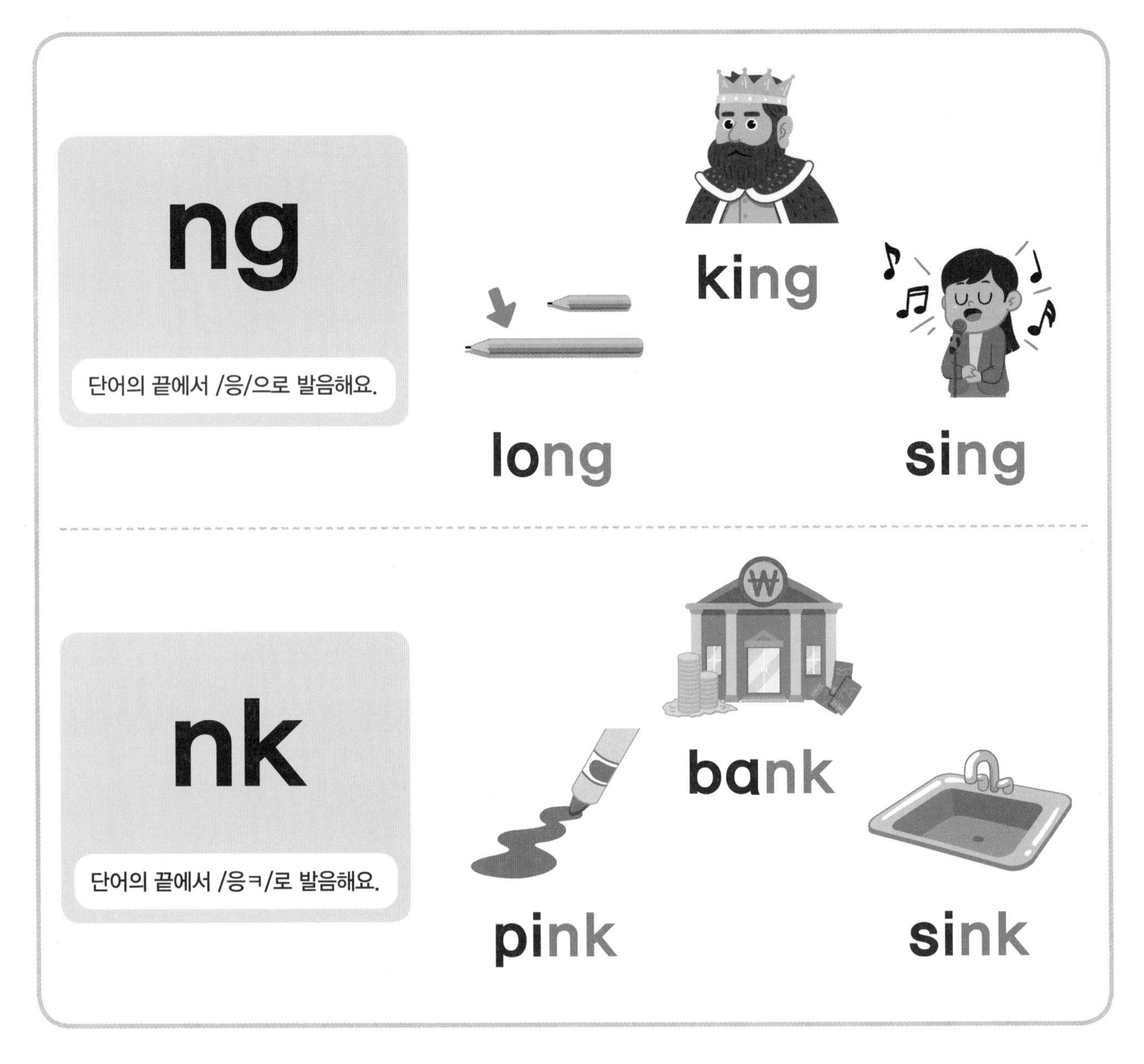

위의 그림을 짚으며 찬트 해 보세요.

1 주

잘 듣고, 알맞은 소리에 동그라미 하세요.

1.

2.

3.

B 잘 듣고, 알맞은 소리에 ✓ 표 하세요.

1.

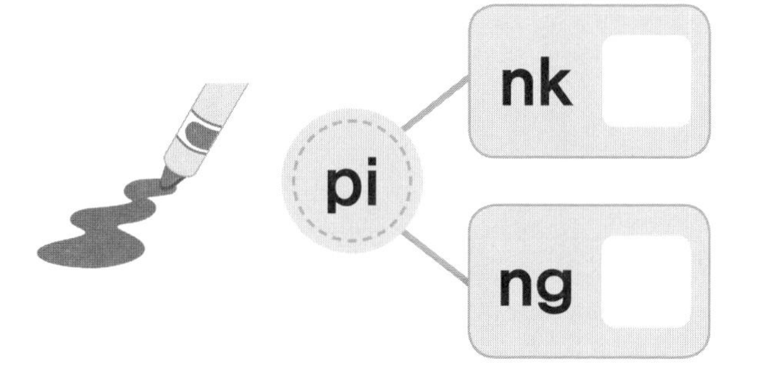

2.

3.

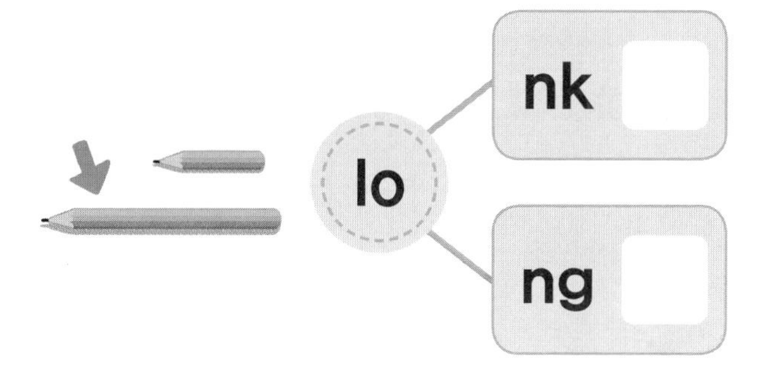

4.

소리 확인하기

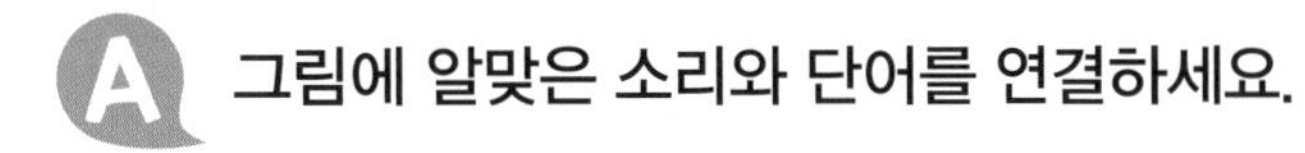

A 그림에 알맞은 소리와 단어를 연결하세요.

1.

2.

3.

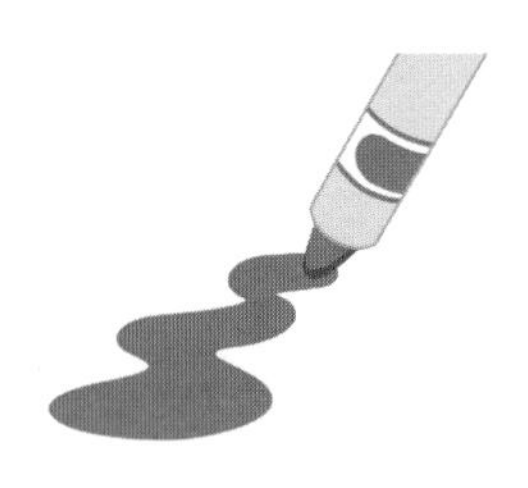

ng

king　　pink　　sink

B 그림에 알맞은 단어를 찾아 동그라미 하세요.

1.

tebankyl

2.

slongcub

3.

ghasingk

 잘 듣고, 알맞은 소리를 보기 에서 골라 단어를 완성하세요.

보기 ng nk

1.

ki____

2.

ba____

3.

si____

4.

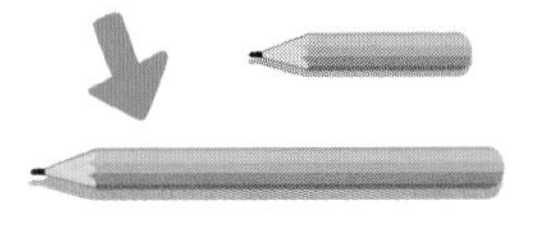

lo____

꼼꼼 확인!

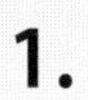 잘 듣고, 소리에 해당하는 알파벳을 쓰세요.

1.

2.

이중모음 ai, ee, oa

파닉스

재미있는 이야기로 오늘 배울 소리를 만나 보세요.

오늘 배울 소리를 들으며 확인해 보세요.

ai

ee

oa

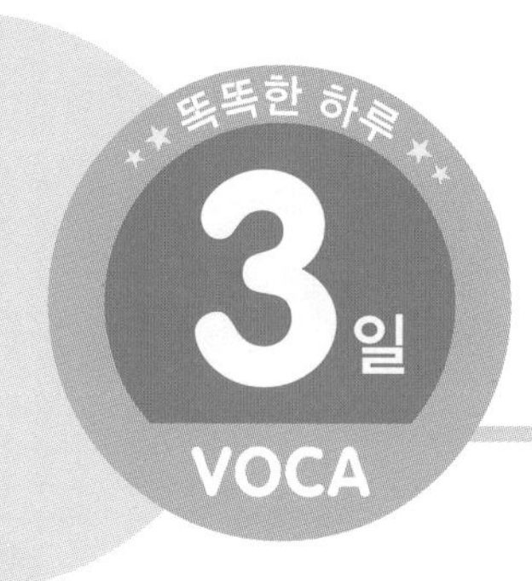

소리 익히기

잘 듣고, 따라 말해 보세요.

ai

앞의 모음을 길게 소리 내어 /에이/로 발음해요.

rain

tail

ee

앞의 모음을 길게 소리 내어 /이-/로 발음해요.

green

tree

oa

앞의 모음을 길게 소리 내어 /오우/로 발음해요.

boat

coat

위의 그림을 짚으며 챈트 해 보세요.

1주

A 잘 듣고, 알맞은 소리에 ✓표 하세요.

1. 

2. 

3. 

4. 

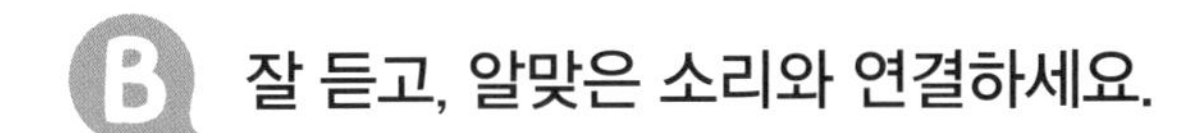

B 잘 듣고, 알맞은 소리와 연결하세요.

1. 

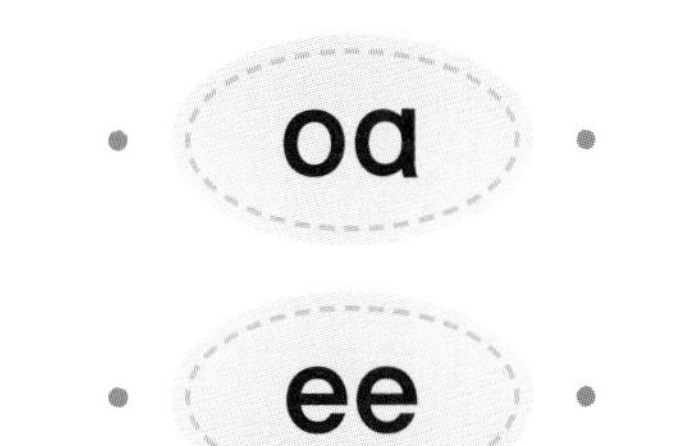

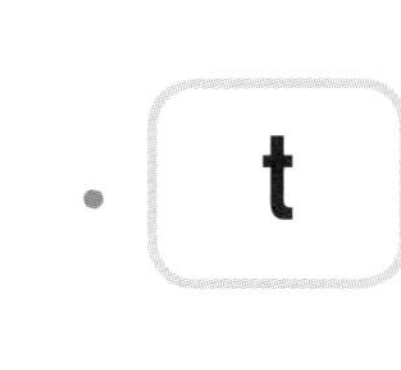

2. 

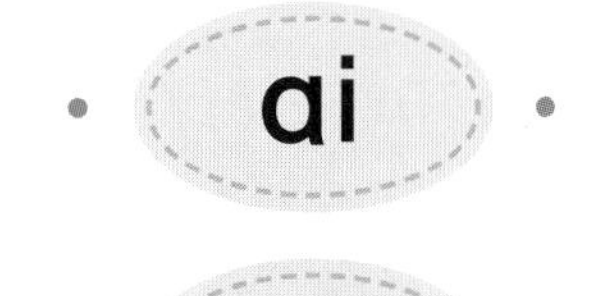

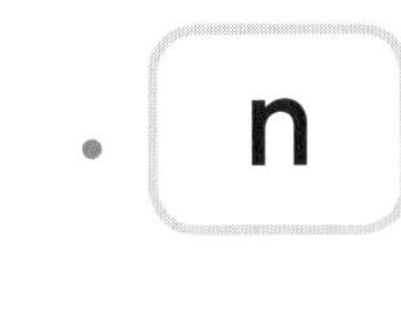

3. 

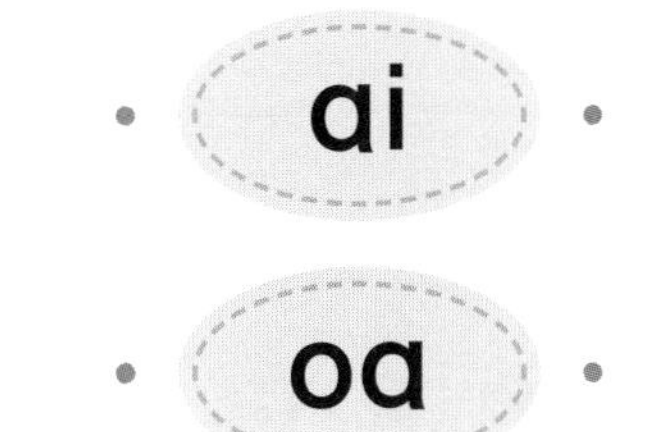

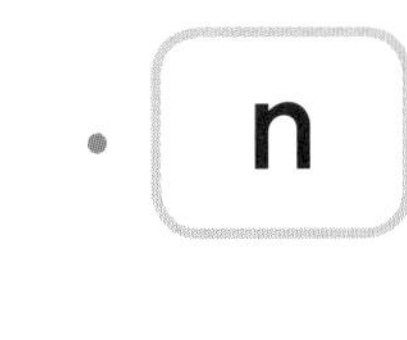

소리 확인하기

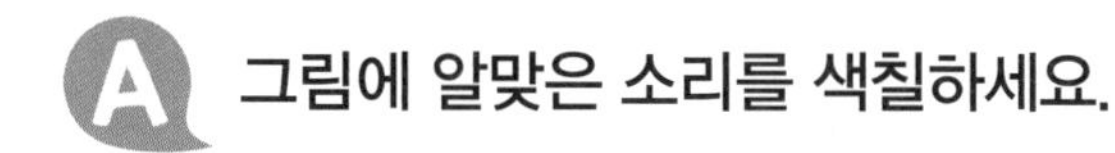

A 그림에 알맞은 소리를 색칠하세요.

1.

t	ee	l
gr	ai	n

2.

c	ai	n
r	oa	t

3.

t	ai	t
b	oa	l

4.

b	ee	n
gr	oa	t

B 그림에 알맞은 단어를 찾아 동그라미 하세요.

1. 2. 3.

r u t r e e m g o r a i n h y c o a t p

C 잘 듣고, 알맞은 소리에 동그라미 한 후 단어를 완성하세요.

1.

oa

ee

c___t

2.

oa

ai

t___l

3.

ai

ee

gr___n

4.

ee

oa

tr___

꼼꼼 확인!

◉ 잘 듣고, 소리에 해당하는 알파벳을 쓰세요.

1. 　　2. 　　3.

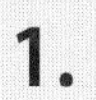

이중모음 oo, ou

파닉스

재미있는 이야기로 오늘 배울 소리를 만나 보세요.

1 주

오늘 배울 소리를 들으며 확인해 보세요.

oo	ou

소리 익히기

잘 듣고, 따라 말해 보세요.

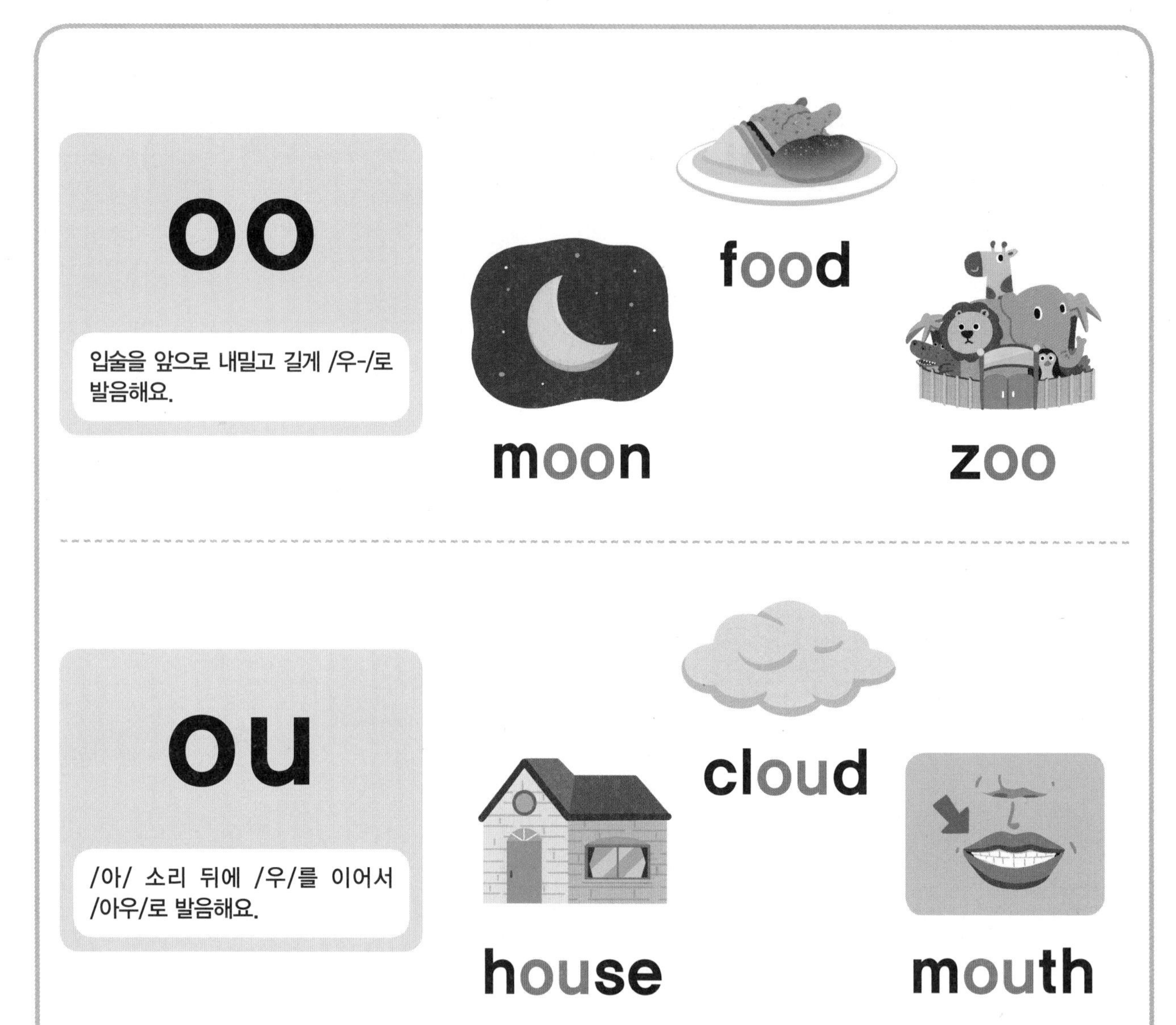

위의 그림을 짚으며 챈트 해 보세요.

A 잘 듣고, 알맞은 소리에 동그라미 하세요.

1. 

2. 

3. 

B 잘 듣고, 알맞은 소리와 연결하세요.

1.  h · 

2.  f · 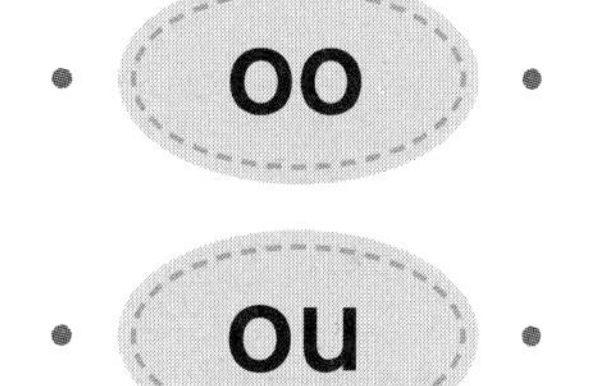

· d

3.  cl · 

oo · d

소리 확인하기

그림에 알맞은 소리와 단어를 연결하세요.

1. 

2. 

3. 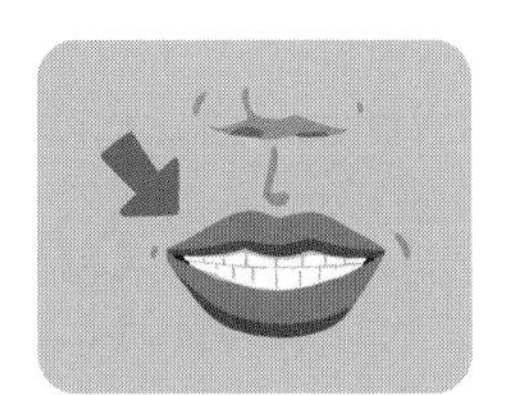

ou

cloud   moon   mouth

B 그림에 알맞은 단어를 찾아 동그라미 하세요.

1. 

thousefn

2. 

sgfoodir

3. 

ahzoobyr

1 주

 잘 듣고, 알맞은 소리를 보기 에서 골라 단어를 완성하세요.

보기 oo ou

1.

z____

2.

cl____d

3.

m____th

4.

m____n

꼼꼼 확인!

◉ 잘 듣고, 소리에 해당하는 알파벳을 쓰세요.

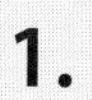

1. 2.

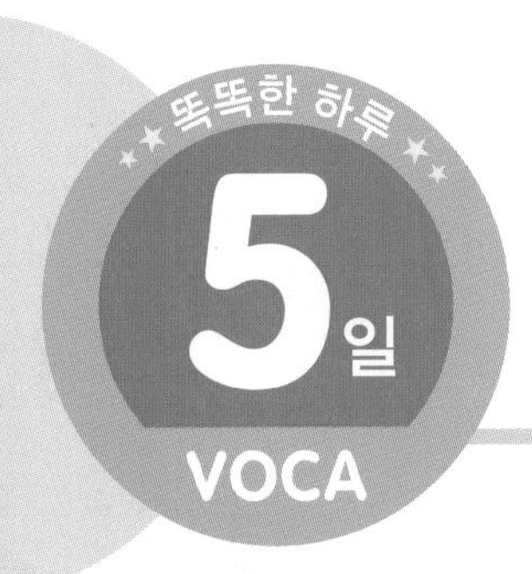

파닉스

이중자음, 이중모음 복습

재미있는 이야기로 이번 주에 배운 내용을 복습해 보세요.

잘 듣고, 배운 소리를 확인해 보세요.

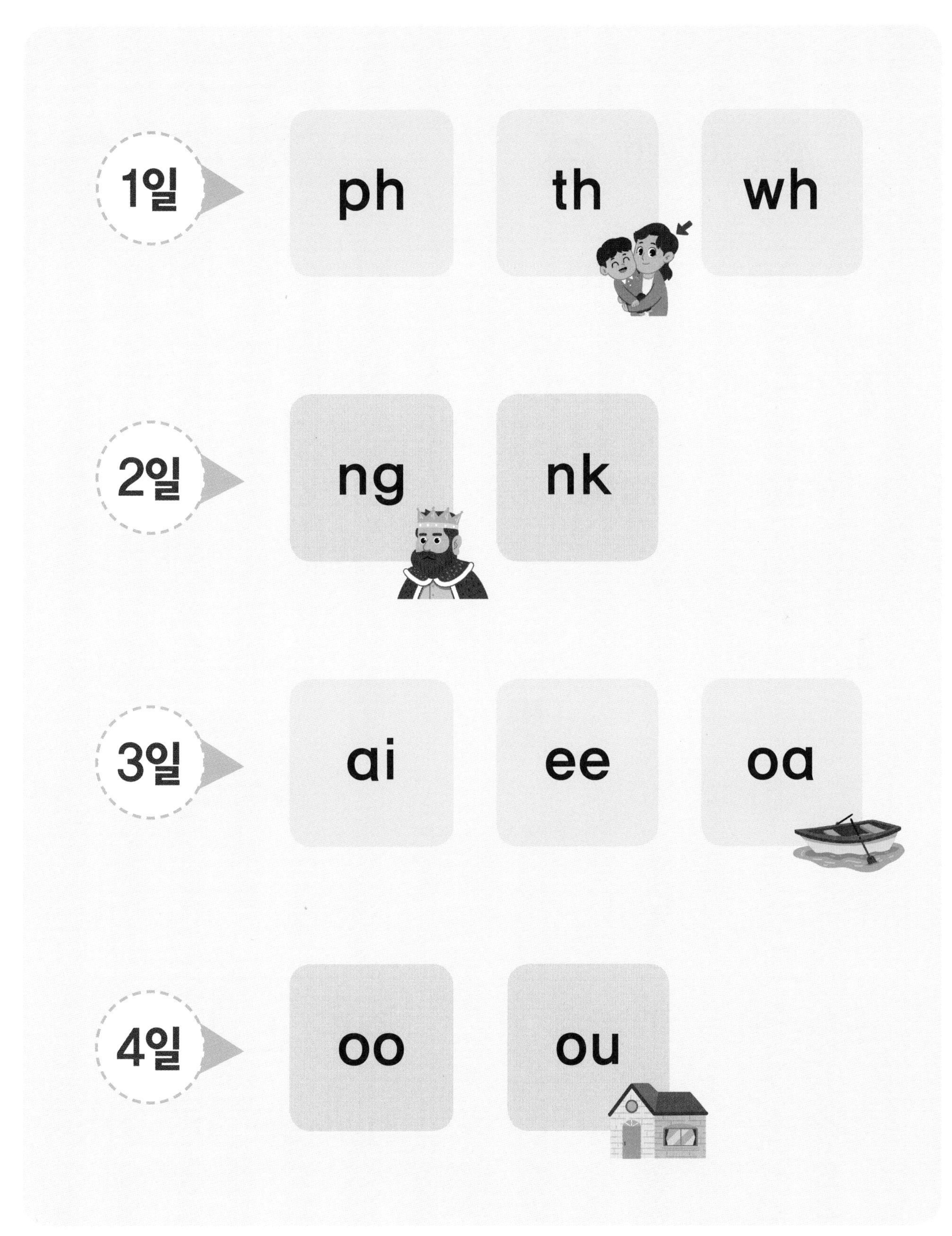

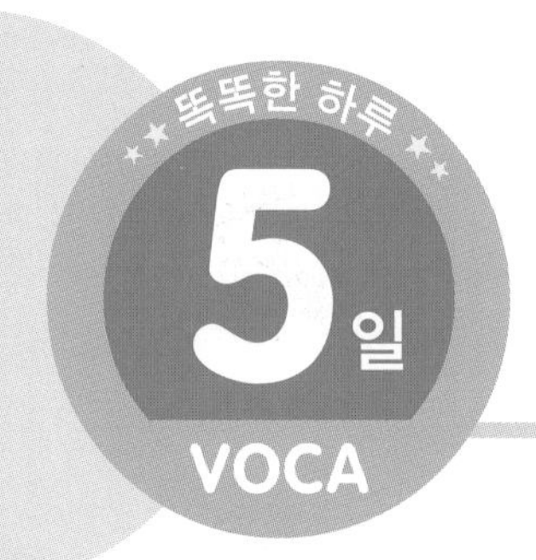

소리 복습하기 ①

단어를 모두 읽은 후, 음원을 들으며 확인해 보세요.

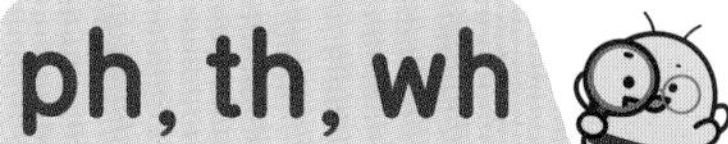

ph, th, wh

phone photo

brother mother

whale white

ng, nk

king long

sing bank

pink sink

ai, ee, oa

rain tail

green tree

boat coat

oo, ou

food moon

zoo cloud

house mouth

1주

A 잘 듣고, 알맞은 단어에 ✓ 표 하세요.

3

1. ☐ rain ☐ boat
2. ☐ sink ☐ long
3. ☐ house ☐ food
4. ☐ white ☐ photo

B 잘 듣고, 알맞은 단어에 번호를 쓴 후 그림과 연결하세요.

4

☐ green •

☐ king •

☐ cloud •

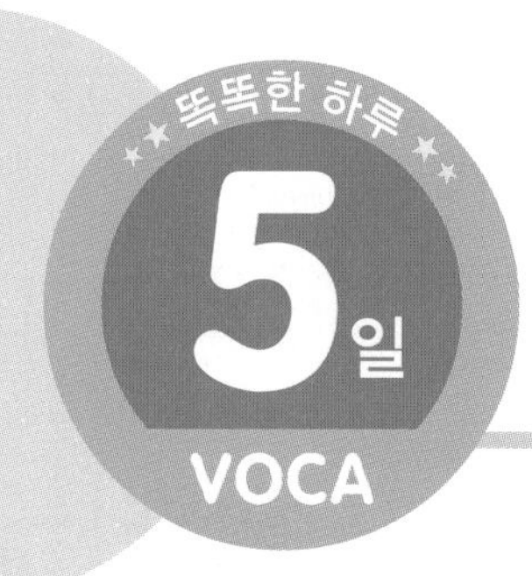

소리 복습하기 ②

그림에 알맞은 단어를 찾아 동그라미 하세요.

1. 

2. 

3. 

s k a m o t h e r g n t a i l y r b a n k e

B 그림에 알맞은 소리를 골라 연결한 후 쓰세요.

1.

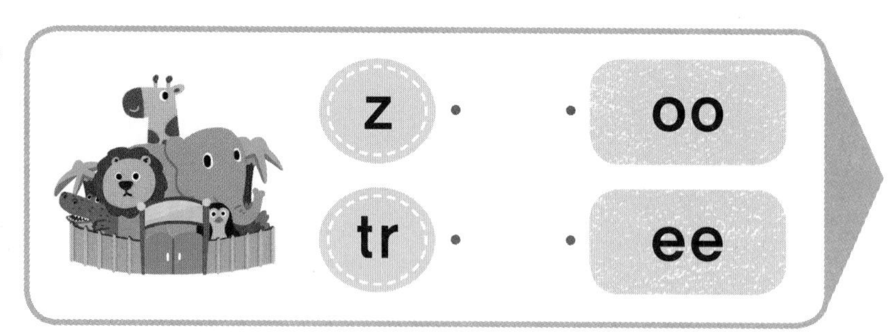

2.

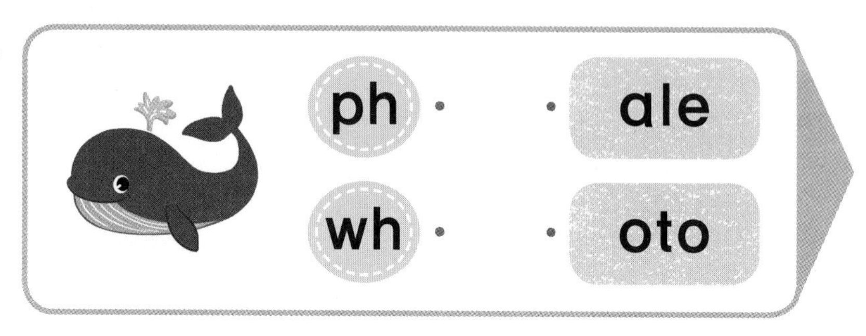

▶정답 5쪽

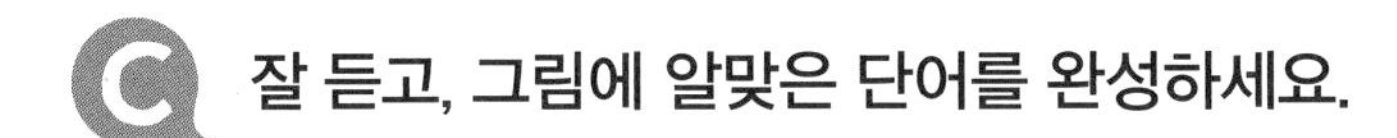

C 잘 듣고, 그림에 알맞은 단어를 완성하세요.

1.

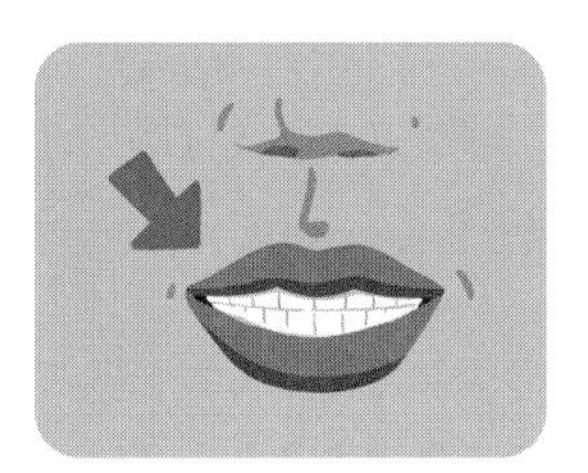

m___th

2.

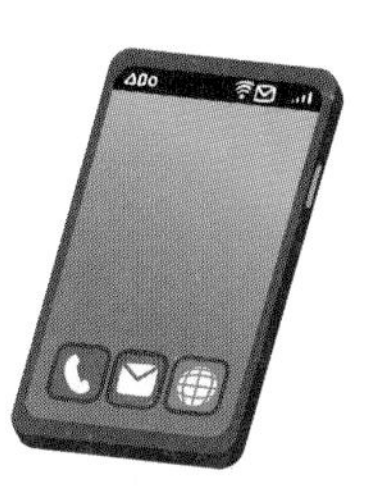

___one

3.

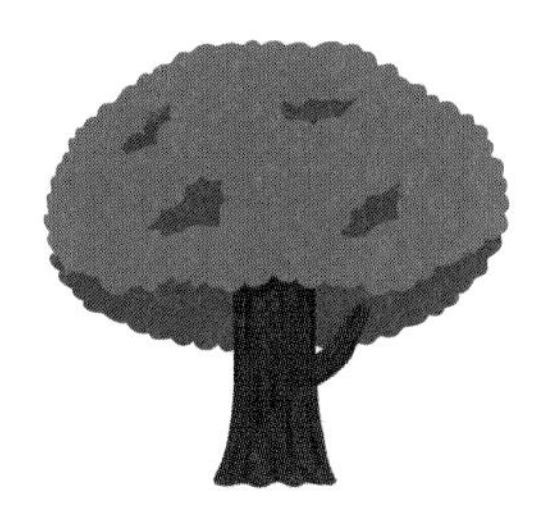

tr___

4.

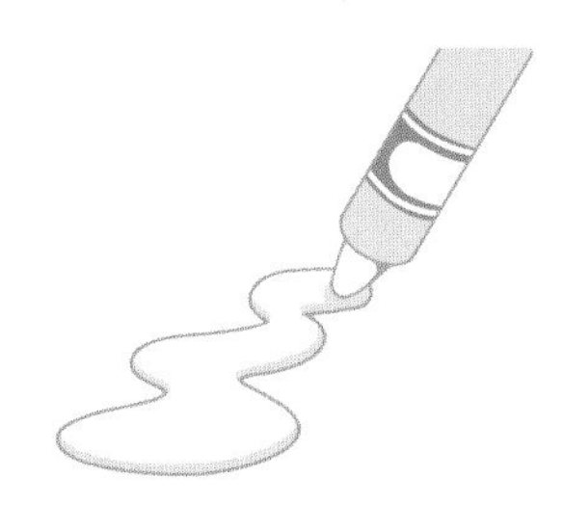

___ite

5.

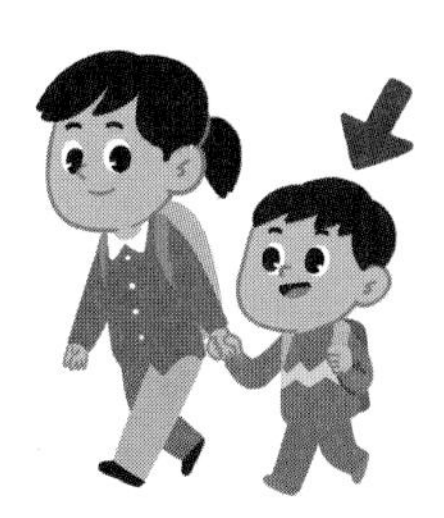

bro___er

6.

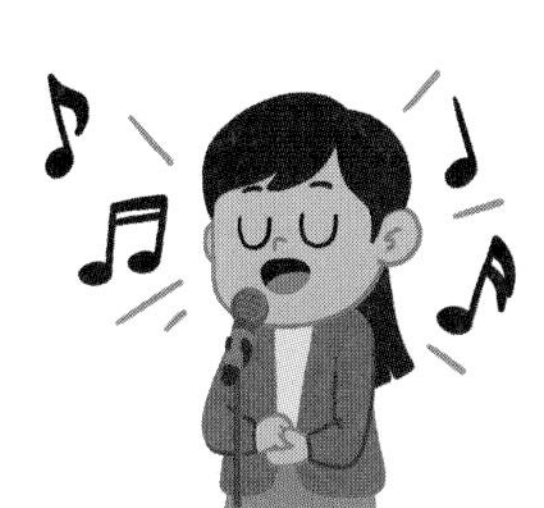

si___

배운 내용을 떠올리며 말판 놀이를 해 보세요.

7. 다음 이중모음이 있는 그림을 골라 동그라미 하세요.
oo
8. 3일에서 획득한 게임존 아이템을 그린 후 단어를 읽어 보세요.
boat
9. 그림에 알맞은 단어를 완성하세요.
si_ _
10. 그림을 보고 빈칸에 알맞은 이중자음을 골라 동그라미 하세요.
mo_ _er
th
ph
11. 4일에서 획득한 게임존 아이템을 그린 후 단어를 읽어 보세요.
cloud
12. 그림에 알맞은 이중모음을 연결하세요.
ee
ou
FINISH

Brain Game Zone 창의 · 융합 · 코딩

A 마녀가 적어 놓은 마법 책의 각 설명이 맞으면 T, 틀리면 F를 고른 후, 획득한 알파벳을 모아 보물이 있는 곳을 쓰세요.

	T	F
1	b	s
2	i	a
3	n	l
4	g	k

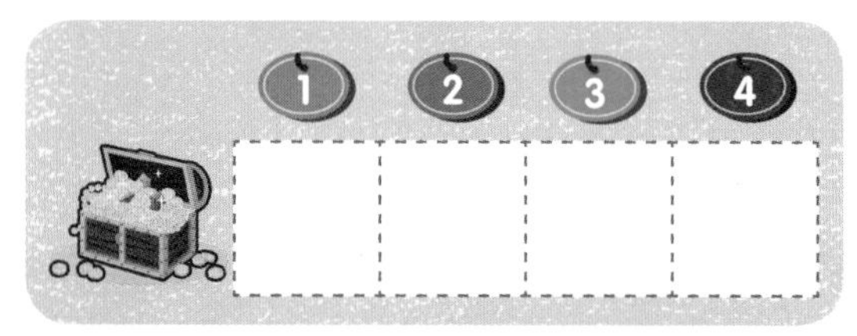

B 쪼꼬가 물건을 잃어버렸어요. 지도의 그림에 알맞은 단어를 완성한 후, 화살표를 따라가 쪼꼬의 물건을 찾을 수 있는 장소를 쓰세요.

1. z____ 2. ba____

3. tr____ 4. b____t

C 유주가 강아지를 잃어 버렸어요. 몬스터가 말하는 소리 순서대로 해당 그림을 따라가며 미로를 빠져나가, 유주의 강아지를 찾아주세요.

D

라비가 그림 카드로 문제를 내고 있어요. 그림에 알맞은 단어를 완성한 후, 라비가 내는 문제를 풀어 보세요.

1\.

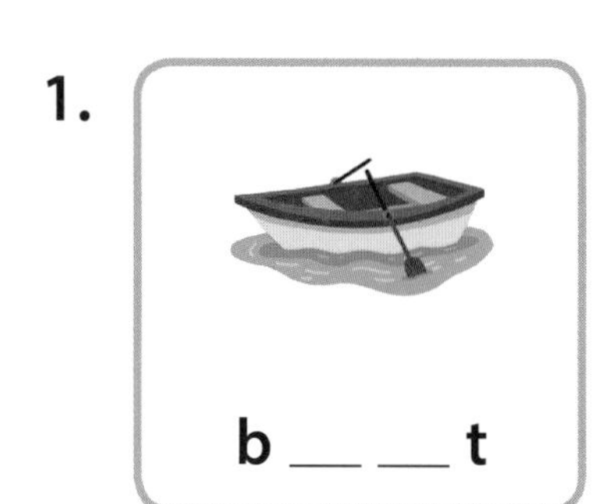

b __ __ t

2\. m __ __ th

3\. m __ __ n

4\. r __ in

그림 카드를 완성하기 위해
필요한 알파벳은
야.

E

도진이가 메모지에 주스를 쏟아 단어의 일부가 지워졌어요. 단서를 참고하여 지워진 글자를 찾아 단어를 쓰고, 읽어 보세요.

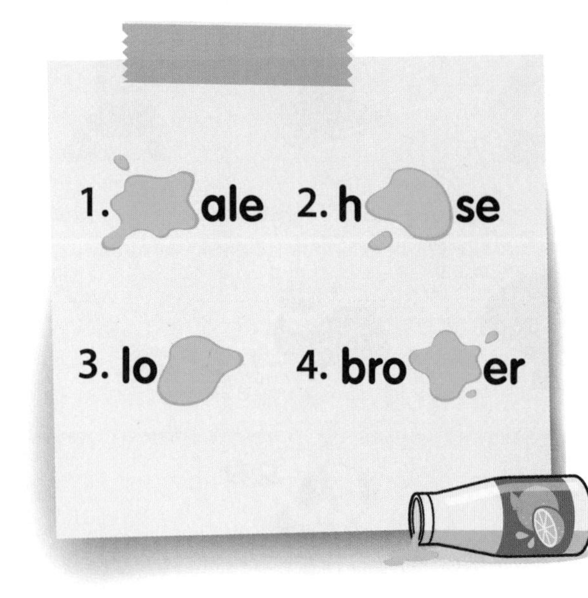

1\. ________ 2. ________

3\. ________ 4. ________

F 로봇이 보물을 여러 곳에 숨겨 두었어요. 로봇이 설명하는 소리를 빈칸에 써서 단어를 완성한 후, 단서 를 참고하여 단어에 숨겨 놓은 보물이 무엇인지 쓰세요.

1.

앞의 모음이 길게 소리 나서 /오우/라고 발음해.

c　　　t

보물: ________________

2.

tr

보물: ________________

3.

　　one

보물: ________________

단서

1주 누구나 100점 TEST

1 글자를 소리 내어 읽으세요.

(1) ai

(2) wh

2 그림에 알맞은 소리를 골라 ✓표 하세요.

(1)

(2)

3 소리에 알맞은 그림을 골라 동그라미 하세요.

oa

4 그림에 알맞은 소리와 연결하세요.

(1) • • ai

(2) • • th

(3) • • ng

▶정답 7쪽

5 그림과 소리가 일치하면 ○ 표, 일치하지 않으면 × 표 하세요.

(1)

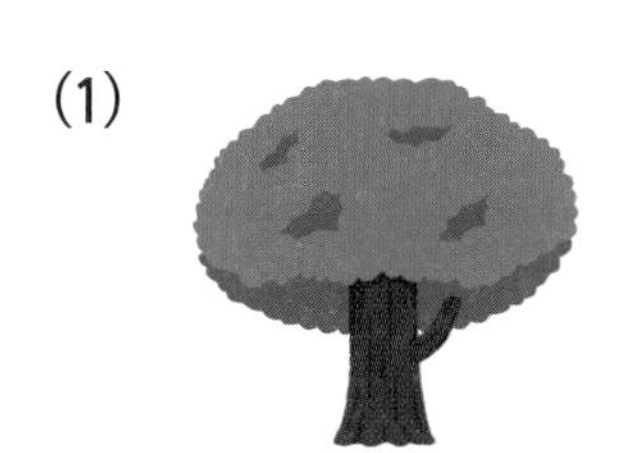

ee

(2)

ou

6 빈칸에 공통으로 알맞은 소리에 ✓표 하세요.

m____n

f____d

oo oa

7 그림에 알맞은 소리를 골라 단어를 완성하세요.

ki____

(nk / ng)

8 그림에 알맞은 소리를 보기에서 골라 단어를 완성하세요.

보기 ph th wh

(1)

____oto

(2)

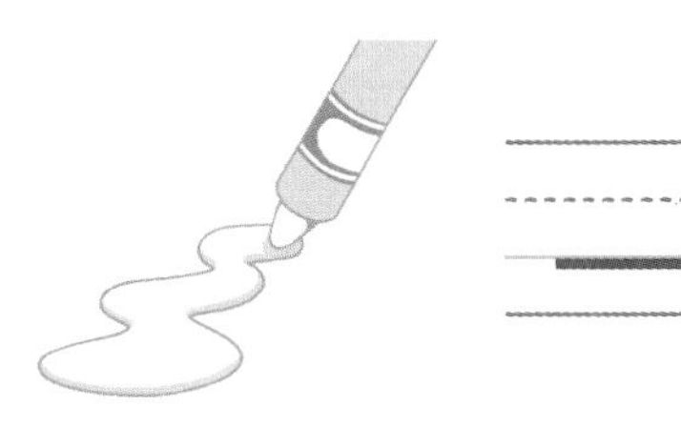

____ite

2주 2주에는 무엇을 공부할까? ①

재미있는 이야기로 이번 주에 공부할 내용을 알아보세요.

2주

2주차 공부할 내용

1일 I'm From France 국가

2일 I'd Like Noodles 음식

3일 It's Sweet 맛

4일 May I Use the Pencil? 허락 요청

5일 SPECIAL VOCA 반의어

2주에는 무엇을 공부할까? ②

A

◉ 여러분의 출신 국가에 동그라미 해 보세요.

B

2 주

◉ 여러분이 자주 주문하는 음식에 동그라미 해 보세요.

fried rice

beef steak

potato pizza

noodles

fruit salad

apple juice

나는 프랑스에서 왔어

I'm From France

단어

재미있는 이야기로 오늘 배울 단어를 만나 보세요.

오늘 배울 단어를 듣고 따라 말한 후, 써 보세요.

Korea
한국

the U.S.
미국

France
프랑스

China
중국

Brazil
브라질

Australia
호주

위의 그림을 짚으며 찬트 해 보세요.

단어 쑥쑥

A 잘 듣고, 알맞은 단어에 동그라미 하세요.

1. 

Korea Brazil

2. 

China Australia

3. 

the U.S. France

B 그림에 알맞은 단어와 우리말 뜻을 연결하세요.

1.  • • Korea • • 호주

2.  • • Australia • • 프랑스

3.  • • France • • 한국

▶정답 8쪽

C 그림에 알맞은 단어를 찾아 동그라미 한 후 빈칸에 쓰세요.

단어 쓰기

1.

2.

3.

D 그림을 보고, 퍼즐을 완성하세요.

단어 완성

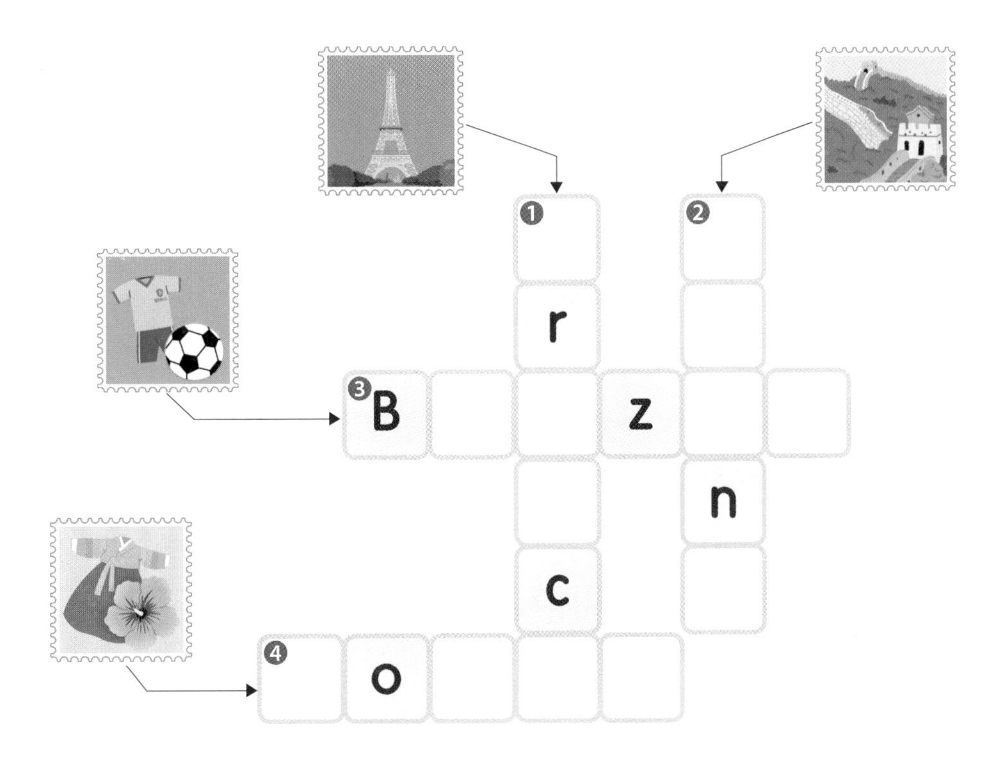

문장 쑥쑥

▶정답 8쪽

A 그림에 알맞은 단어를 골라 문장을 완성하세요.

1. 

I'm from ______________.
(Australia / Brazil)
나는 호주에서 왔어.

2. 

I'm from ______________.
(China / France)
나는 프랑스에서 왔어.

B 그림에 알맞은 단어를 보기에서 골라 문장을 완성하세요.

'I'm from + 국가 이름.'은 자신의 출신 국가를 나타내는 표현이에요.

보기	the U.S.	China	Brazil	Korea

1. 

I'm from ______________
나는 미국에서 왔어.

2. 

I'm from ______________.
나는 한국에서 왔어.

3. 

I'm from ______________.
나는 브라질에서 왔어.

▶정답 8쪽

A 잘 듣고, 알맞은 단어에 동그라미 한 후 우리말 뜻을 쓰세요.

1. Brazil / the U.S.
뜻 ____________

2. Australia / China
뜻 ____________

3. Korea / France
뜻 ____________

B 그림에 알맞은 단어가 되도록 알파벳을 바르게 배열하여 쓰세요.

1. 
n i h a C
____

2. 
r i z a B l
____

3. 
e F n r c a
____

4. 
a i t A r u s l a
____

◉ 단어를 듣고, 우리말 뜻을 말해 보세요.

국수 주세요

I'd Like Noodles

단어

재미있는 이야기로 오늘 배울 단어를 만나 보세요.

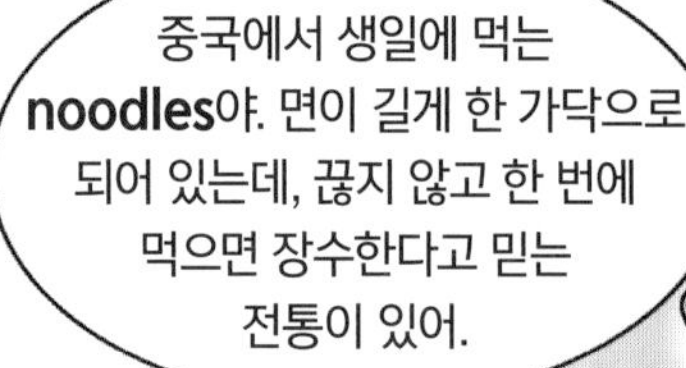

오늘 배울 단어를 듣고 따라 말한 후, 써 보세요.

fried rice
볶음밥

beef steak
소고기스테이크

potato pizza
감자피자

noodles
국수

fruit salad
과일샐러드

apple juice
사과주스

위의 그림을 짚으며 찬트 해 보세요.

단어 쑥쑥

잘 듣고, 알맞은 단어를 골라 기호를 쓰세요.

ⓐ noodles ⓑ apple juice ⓒ fried rice

1. 

2. 

3. 

B 그림에 알맞은 단어를 연결하세요.

1. 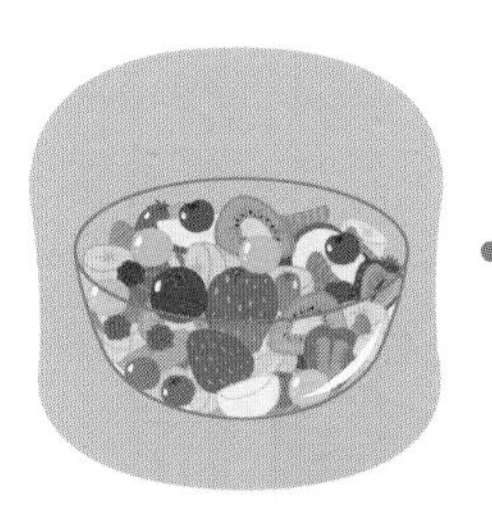
과일샐러드

2.  
소고기스테이크

- potato pizza
- beef steak
- fruit salad
- noodles

3. 
감자피자

4. 
국수

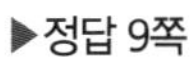

▶정답 9쪽

C 그림에 알맞은 단어를 보기 에서 골라 쓰세요.

단어 쓰기

보기 beef steak fruit salad potato pizza noodles

1.

2.

3.

4.

D 잘 듣고, 그림에 알맞은 단어를 완성하세요.

단어 완성

1.

a ☐ ple ☐ ui ☐ e

2.

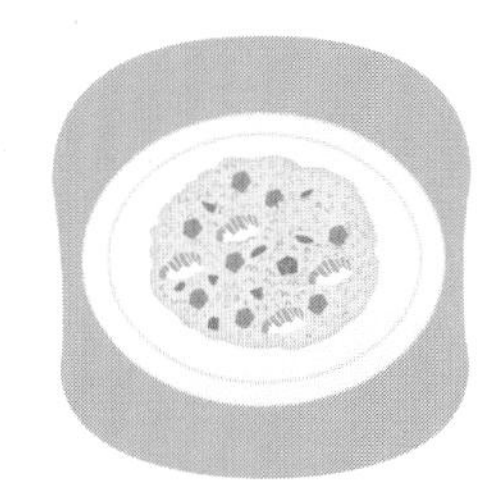

f ☐ i ☐ d r ☐ ce

3.

be ☐ f s ☐ e ☐ k

문장 쑥쑥

▶정답 9쪽

A 그림에 알맞은 단어를 골라 문장을 완성하세요.

1. 

I'd like a ____________.
(fruit salad / fried rice)
과일샐러드 주세요.

2. 

I'd like a ____________.
(potato pizza / beef steak)
소고기스테이크 주세요.

음식을 주문할 때는
'I'd like a(n) + 음식
이름.'으로 해요.

B 그림에 알맞은 단어를 보기에서 골라 문장을 완성하세요.

문장 쓰기

보기 apple juice potato pizza fruit salad noodles

1. 

I'd like an ____________.
사과주스 주세요.

2. 

I'd like ____________.
국수 주세요.

3. 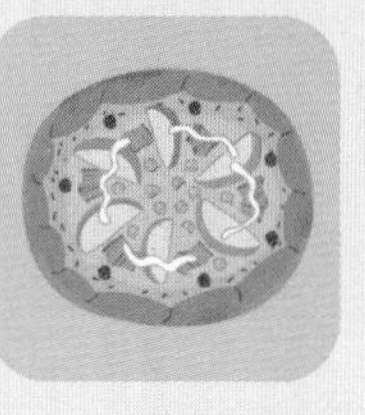

I'd like a ____________.
감자피자 주세요.

복습 실력 쑥쑥

▶정답 9쪽

A 잘 듣고, 알맞은 단어에 동그라미 한 후 우리말 뜻을 쓰세요.

1. apple juice / noodles

뜻 ______

2. beef steak / fried rice

뜻 ______

3. fruit salad / potato pizza

뜻 ______

B 그림에 알맞은 단어가 되도록 알파벳을 바르게 배열하여 쓰세요.

1.
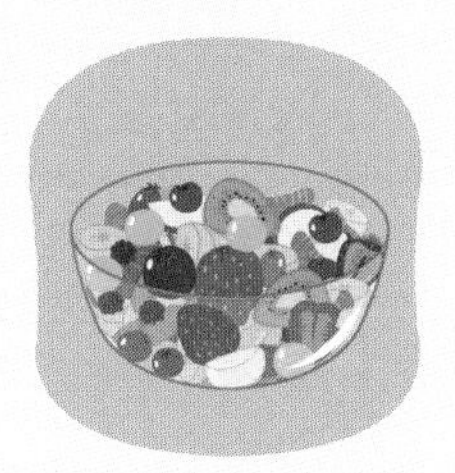

______ (u r f t i) ______ (d a l a s)

2.
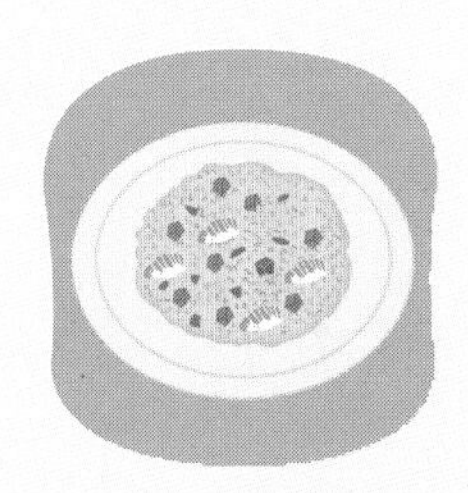

______ (d i f e r) ______ (c r e i)

3.

______ (a l p e p) ______ (i j e c u)

차곡차곡 복습!

◉ 단어를 듣고, 우리말 뜻을 말해 보세요.

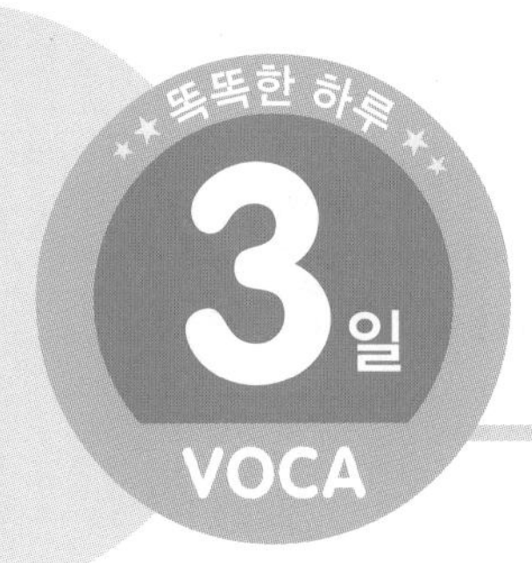

그것은 달콤해 단어

It's Sweet

재미있는 이야기로 오늘 배울 단어를 만나 보세요.

오늘 배울 단어를 듣고 따라 말한 후, 써 보세요.

sweet
달콤한

salty
짠

sour
신

spicy
매운

delicious
맛있는

fresh
신선한

위의 그림을 짚으며 찬트 해 보세요.

단어 쑥쑥

A 잘 듣고, 알맞은 단어에 동그라미 하세요.

단어 듣기

1. 

spicy delicious

2. 

sour sweet

3. 

fresh salty

B 그림에 알맞은 단어와 우리말 뜻을 연결하세요.

의미 연결

1. 	salty	신
2. 	delicious	짠
3. 	sour	맛있는

▶정답 10쪽

C 그림에 알맞은 단어를 찾아 동그라미 한 후 빈칸에 쓰세요.

단어 쓰기

a t u q f r e s h u j m s w e e t h o l s p i c y r g e h k

1. 

2. 

3. 

D 그림을 보고, 퍼즐을 완성하세요.

단어 완성

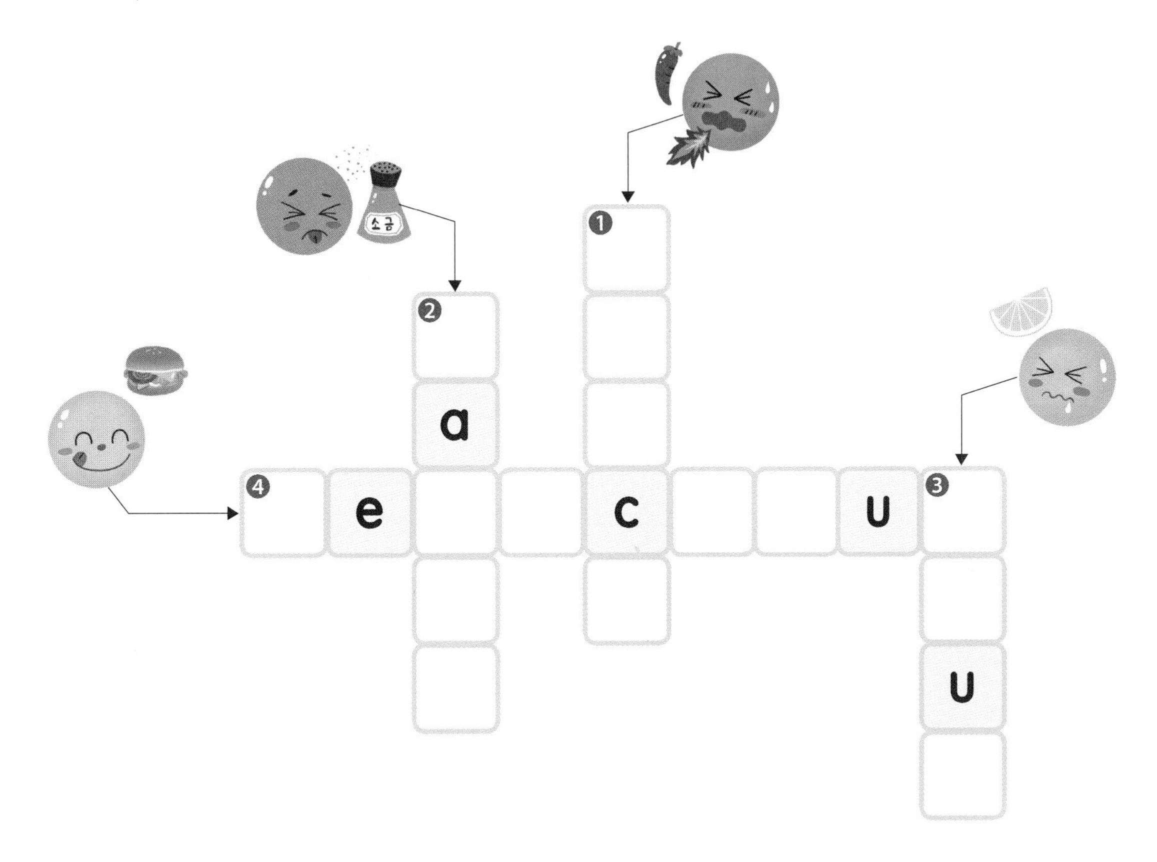

문장 쑥쑥

▶정답 10쪽

A 그림에 알맞은 단어를 골라 문장을 완성하세요.

1. It's ______________.
(sour / sweet)
그것은 셔.

2. 
It's ______________.
(fresh / delicious)
그것은 맛있어.

B 그림에 알맞은 단어를 보기에서 골라 문장을 완성하세요.

음식의 맛을 표현할 때는 'It's + 맛을 나타내는 말.'로 해요.

문장 쓰기

보기 salty sweet sour spicy

1. It's ______________.
그것은 매워.

2. It's ______________.
그것은 짜.

3. It's ______________.
그것은 달콤해.

복습 실력 쑥쑥

▶정답 10쪽

A 잘 듣고, 알맞은 단어에 동그라미 한 후 우리말 뜻을 쓰세요.

1. fresh / delicious
뜻 ____________

2. spicy / sweet
뜻 ____________

3. salty / sour
뜻 ____________

B 그림에 알맞은 단어가 되도록 알파벳을 바르게 배열하여 쓰세요.

1. 
t s l y a
____

2. 
r o s u
____

3. 
h r s e f
____

4. 
u e i c d s i l o
____

차곡차곡 복습!

◉ 단어를 듣고, 우리말 뜻을 말해 보세요.

연필을 써도 되나요?

May I Use the Pencil?

단어

재미있는 이야기로 오늘 배울 어구를 만나 보세요.

오늘 배울 어구를 듣고 따라 말한 후, 써 보세요.

go to the restroom
화장실에 가다

take a picture
사진을 찍다

use the pencil
연필을 쓰다

watch TV
TV를 보다

drink some juice
주스를 좀 마시다

bring my dog
개를 데려가다

위의 그림을 짚으며 찬트 해 보세요.

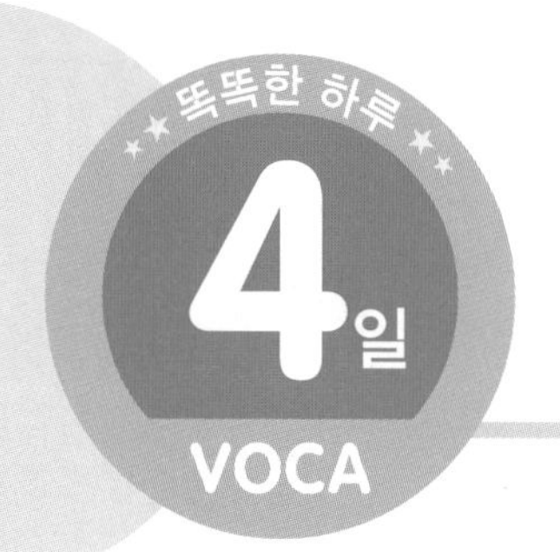

단어 쑥쑥

A 잘 듣고, 알맞은 어구에 동그라미 하세요.

어구 듣기

1. 

watch TV
drink some juice

2. 

go to the restroom
take a picture

3. 

use the pencil
bring my dog

B 그림에 알맞은 어구를 연결하세요.

의미 연결

1. 

화장실에 가다

2. 

연필을 쓰다

3. 

주스를 좀 마시다

4. 

TV를 보다

- watch TV
- go to the restroom
- drink some juice
- use the pencil

▶정답 11쪽

C 그림에 알맞은 어구를 보기에서 골라 쓰세요.

어구 쓰기

보기 go to the restroom   bring my dog   use the pencil

1.

2.

3.

D 잘 듣고, 그림에 알맞은 어구를 완성하세요.

어구 완성

1. 

dri_k so_e j_i_e

2. 

b_ _ng my do_

3. 

_ake a pi_t_re

문장 쑥쑥

▶정답 11쪽

A 그림에 알맞은 어구를 골라 문장을 완성하세요.

문장 완성

1. 

May I ______________________ ?
(bring my dog / drink some juice)
주스를 좀 마셔도 되나요?

2. 

May I ______________________ ?
(use the pencil / watch TV)
연필을 써도 되나요?

'May I + 동작을 나타내는 말?'은 상대방에게 공손하게 허락을 요청하는 표현이에요.

B 그림에 알맞은 어구를 보기에서 골라 문장을 완성하세요.

문장 쓰기

보기 watch TV　go to the restroom　take a picture

1. May I ______________________ ?
사진을 찍어도 되나요?

2. May I ______________________ ?
TV를 봐도 되나요?

3. May I ______________________ ?
화장실에 가도 되나요?

복습 실력 쑥쑥

▶정답 11쪽

A 잘 듣고, 알맞은 어구에 동그라미 한 후 우리말 뜻을 쓰세요.

1. use the pencil / watch TV → 뜻

2. drink some juice / take a picture → 뜻

3. go to the restroom / bring my dog → 뜻

B 그림에 알맞은 어구가 되도록 단어를 바르게 배열하여 쓰세요.

1. 

____
(dog / my / bring)

2. 

____
(some / drink / juice)

3. 

____
(pencil / the / use)

◉ 단어나 어구를 듣고, 우리말 뜻을 말해 보세요.

스페셜 SPECIAL VOCA

반대의 뜻을 가진

반의어

재미있는 이야기로 오늘 배울 단어를 만나 보세요.

2 주

오늘 배울 단어를 들으며 따라 말해 보세요.

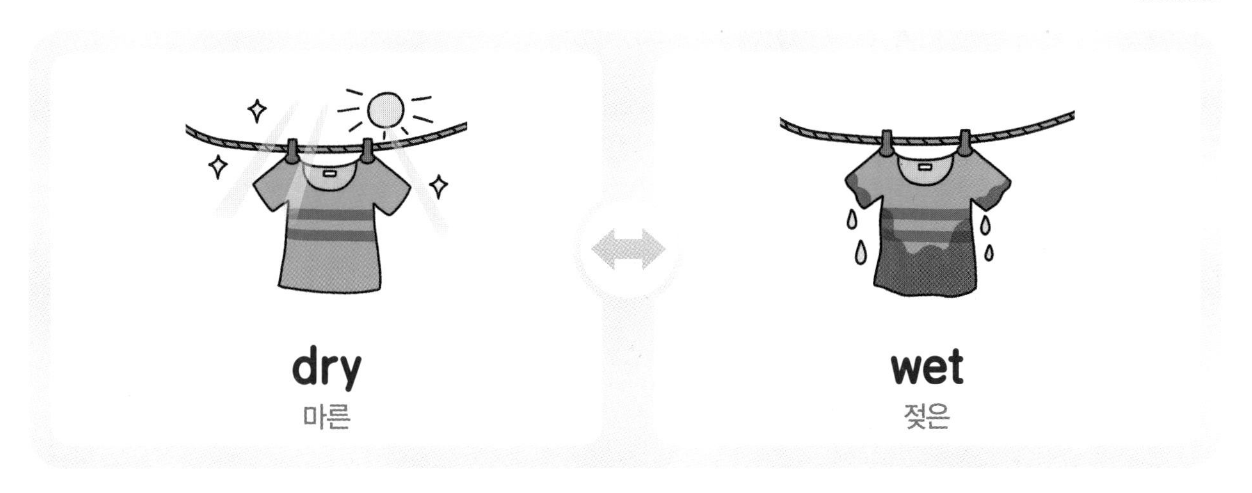

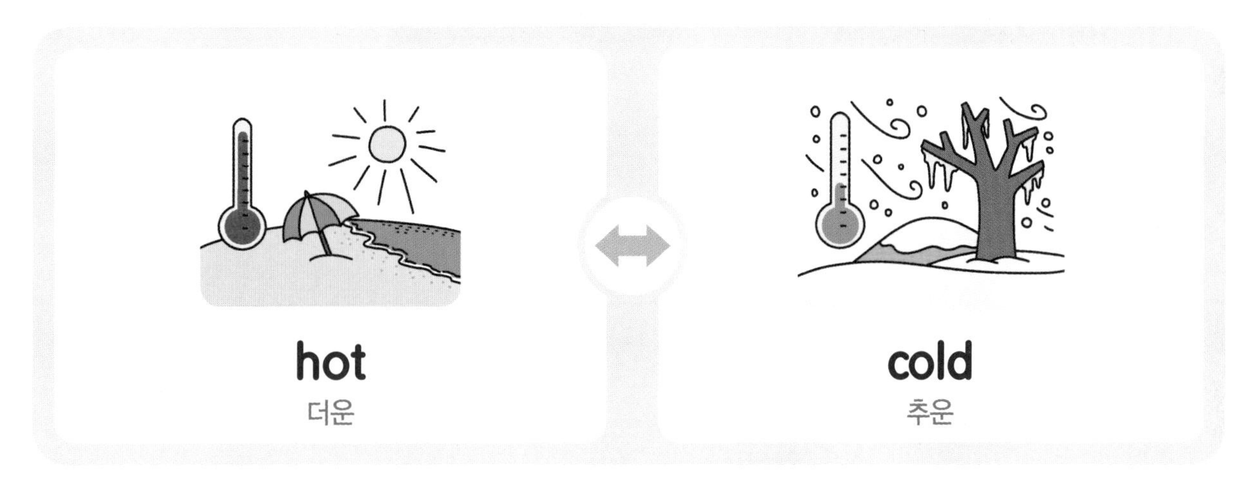

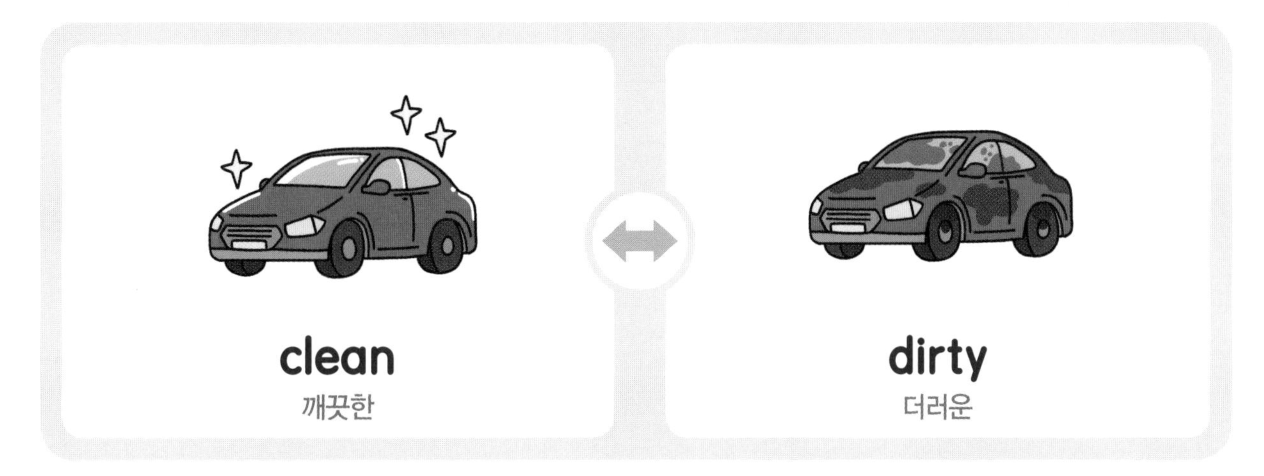

위의 그림을 짚으며 찬트 해 보세요.

단어 쑥쑥

A 잘 듣고, 알맞은 단어를 골라 기호를 쓰세요.

ⓐ hot ⓑ wet ⓒ dirty

1. 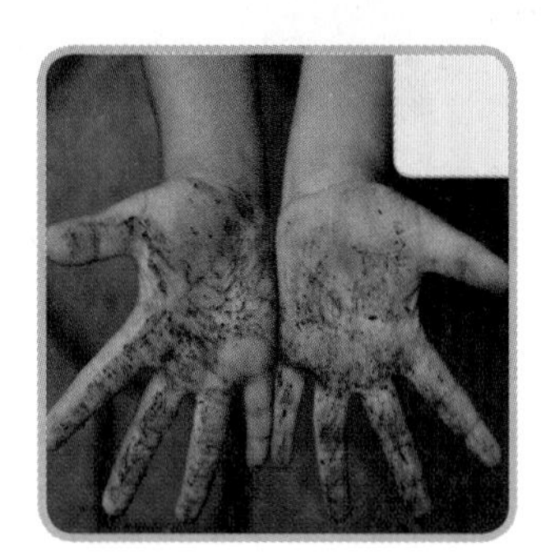

2. 

3. 

B 그림에 알맞은 단어를 골라 동그라미 한 후, 반대의 뜻을 가진 단어와 연결하세요.

의미 연결

1. 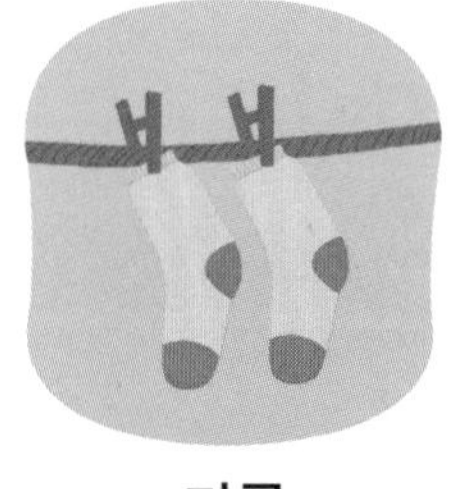
마른

dry / dirty • • hot

2. 
추운

wet / cold • • wet

3. 
깨끗한

clean / hot • • dirty

▶정답 12쪽

C 그림에 알맞은 단어를 보기 에서 골라 쓰세요.

단어 쓰기

보기 dry wet clean dirty

1.
2.
3.
4.

D 그림에 알맞은 단어를 완성하세요.

단어 완성

1. d ☐ ☐ ↔ ☐ e ☐

2. ☐ ir ☐ y ↔ c ☐ e ☐ n

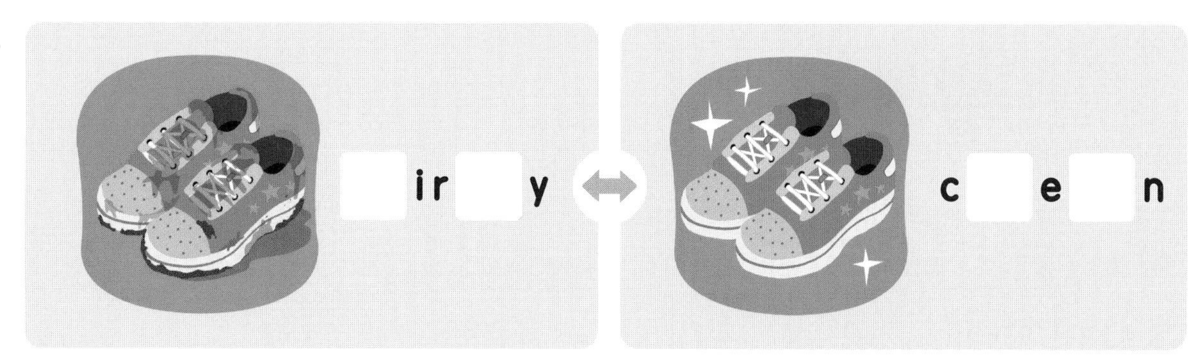

단어 쑥쑥 플러스

▶정답 12쪽

◉ 그림에 알맞은 단어를 보기 에서 골라 쓴 후, 반대의 뜻을 가진 단어와 연결하세요.

보기 cold dry dirty wet hot clean

1. 더러운

2. 마른

3. 더운

4. 깨끗한

5. 젖은

6. 추운

복습 실력 쑥쑥

▶정답 12쪽

4

A 잘 듣고, 알맞은 단어에 동그라미 한 후 우리말 뜻을 쓰세요.

1. wet / dry
뜻 ______

2. cold / hot
뜻 ______

3. dirty / clean
뜻 ______

B 그림에 알맞은 단어가 되도록 알파벳을 바르게 배열하여 쓰세요.

1. 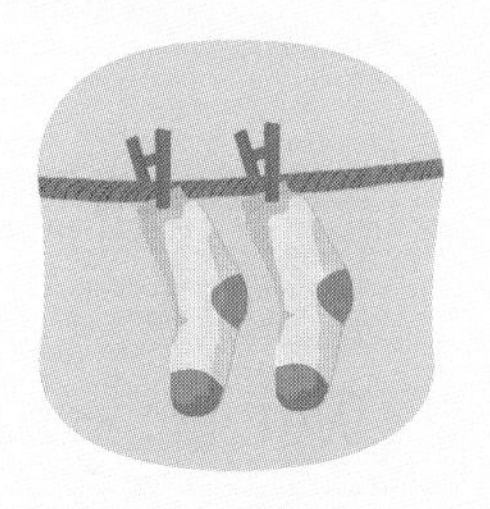
w t e

2. 
o h t

3. 
n e c a l

4. 
o c d l

차곡차곡 복습!

◉ 단어나 어구를 듣고, 우리말 뜻을 말해 보세요.

배운 내용을 떠올리며 말판 놀이를 해 보세요.

START
1. 그림과 단어가 일치하면 ○ 표, 일치하지 않으면 × 표 하세요.
fried rice
2. 그림을 보고 알맞은 단어에 동그라미 하세요.
salty
spicy
3. 어구를 읽고 알맞은 그림에 동그라미 하세요.
drink some juice
4. 단어를 읽고 반의어끼리 연결하세요.
wet
hot
cold
dry
5. 그림을 보고 알파벳을 바르게 배열하여 단어를 쓰세요.
elonosd
→ ______
6. 그림에 알맞은 단어를 완성하세요.
F__an__e

정답 13쪽

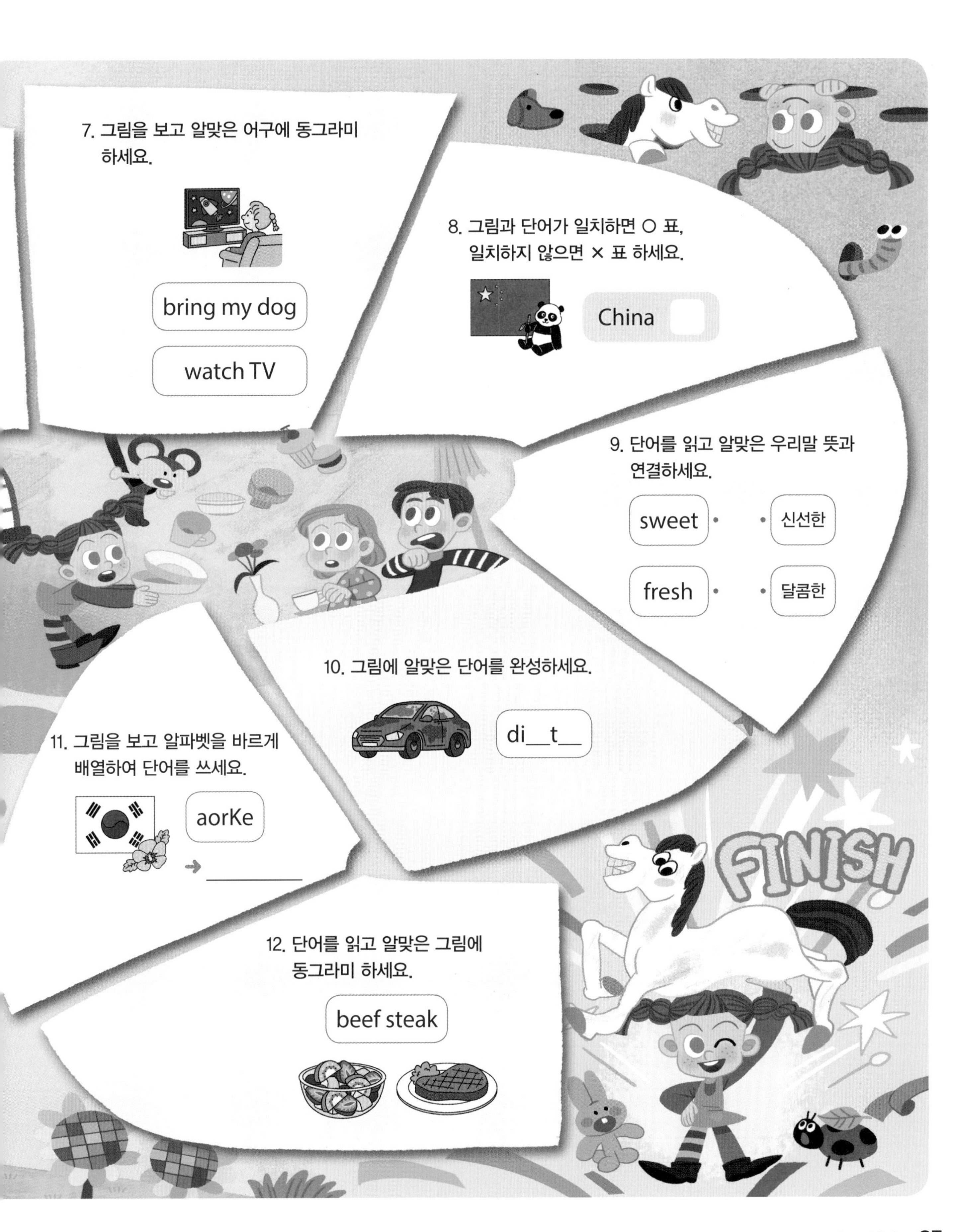
7. 그림을 보고 알맞은 어구에 동그라미 하세요.
bring my dog
watch TV
8. 그림과 단어가 일치하면 ○ 표, 일치하지 않으면 × 표 하세요.
China
9. 단어를 읽고 알맞은 우리말 뜻과 연결하세요.
sweet
fresh
신선한
달콤한
10. 그림에 알맞은 단어를 완성하세요.
di__t__
11. 그림을 보고 알파벳을 바르게 배열하여 단어를 쓰세요.
aorKe
→ ____________
12. 단어를 읽고 알맞은 그림에 동그라미 하세요.
beef steak
FINISH

2 주

A 도진이와 라비가 스도쿠 게임을 하고 있어요. 힌트를 참고하여, 라비가 낸 스도쿠를 완성하세요.

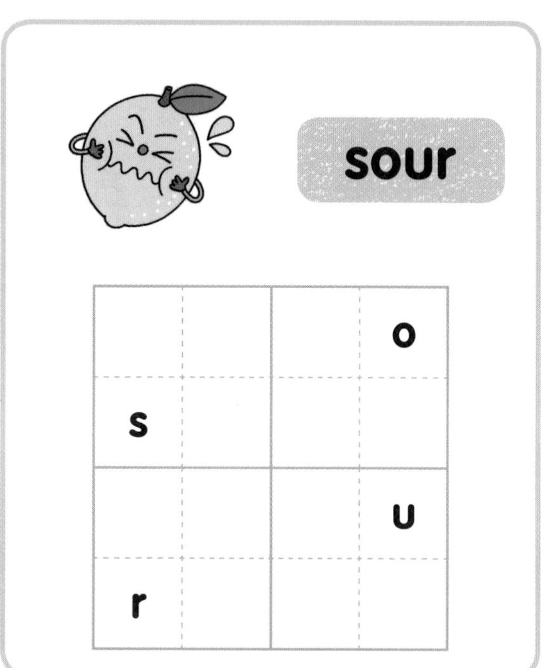

B 유주가 주문할 음식을 적어 놓은 메모지가 찢어졌어요. 단서를 참고하여 유주가 주문할 음식의 단어를 쓰세요.

1. tato piz
2. ple ju
3. ruit sal

1. ____________ 2. ____________ 3. ____________

정답 13쪽

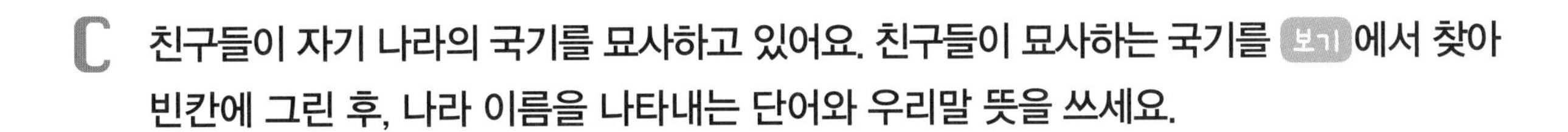

C 친구들이 자기 나라의 국기를 묘사하고 있어요. 친구들이 묘사하는 국기를 보기 에서 찾아 빈칸에 그린 후, 나라 이름을 나타내는 단어와 우리말 뜻을 쓰세요.

보기

Korea

Brazil

Australia

the U.S.

1.

우리나라 국기에는 별이 있어.
3가지 색깔이 있고,
줄무늬가 아주 많아.

나라 이름	
우리말 뜻	

2.

우리나라 국기에는 원이 있고,
사각형이 18개 있어.
4가지 색깔이 들어 있어.

나라 이름	
우리말 뜻	

3.

우리나라 국기에는
1개의 사각형과 원이 있어.
국기 안에 글자가 쓰여 있어.

나라 이름	
우리말 뜻	

D 다람쥐가 흩어진 단어들을 연결해야 해요. 사다리를 타고 내려가 반의어끼리 연결할 수 있도록 사다리에 가로선을 그어 보세요.

E 숫자와 알파벳이 어떤 규칙에 의해 카드에 적혀 있어요. 힌트 를 참고하여 다른 카드의 규칙을 찾아 단어와 우리말 뜻을 쓰세요. (얼룩으로 지워진 숫자는 추측해 보세요.)

힌트

2 o, r, 3 u, 1 s

단어: sour

뜻: 신

1.

c, 5 y, 1 s, 3 i, p

단어: ____________

뜻: ____________

2.

2 r, e, s, 5 h, f

단어: ____________

뜻: ____________

F 라비와 쪼꼬가 목적지에 도착하려면 미로를 통과해야 해요. 미로를 통과하며 만나는 단어로 어구를 쓴 후, 관련 있는 그림에 ✓ 표 하세요.

1.

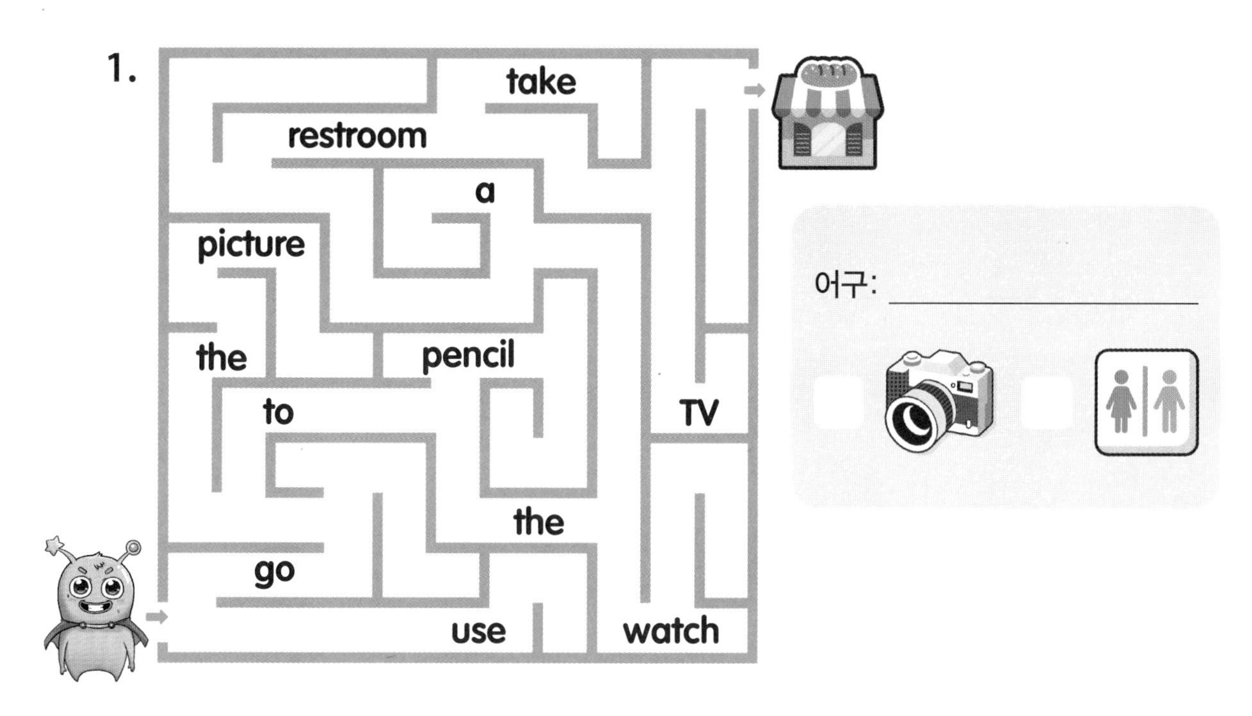

2.

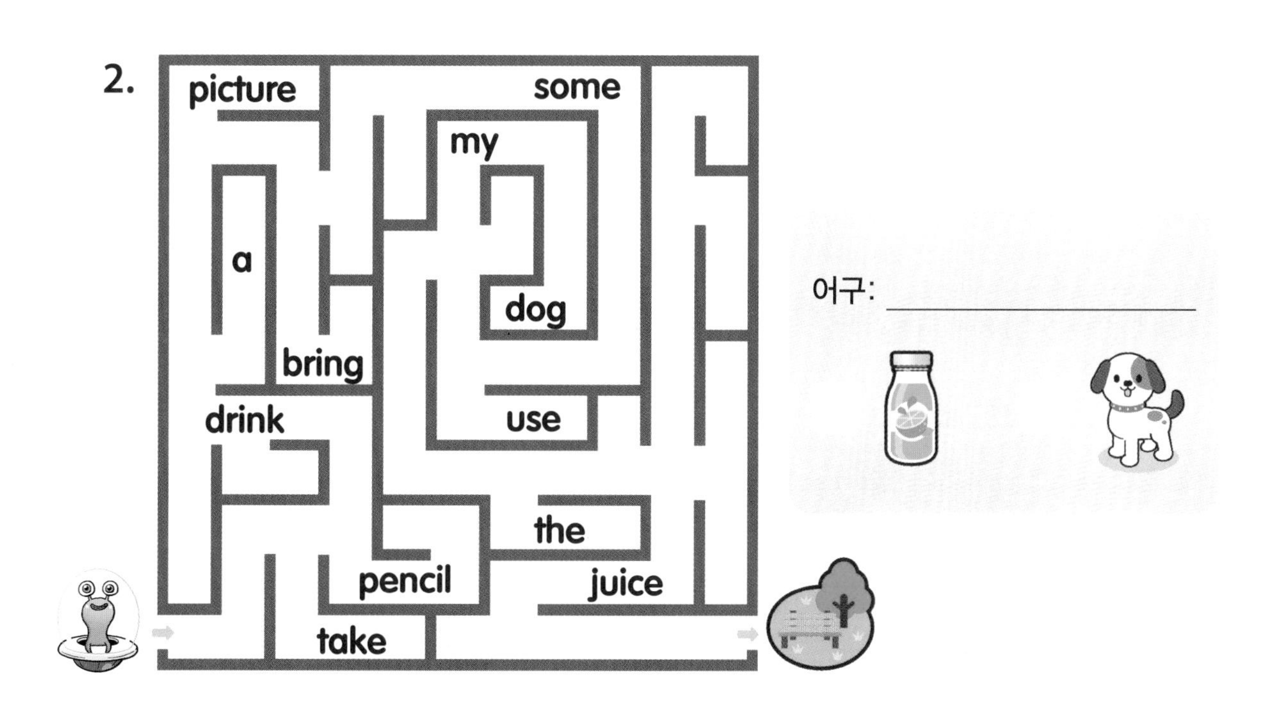

2주 누구나 100점 TEST

1 어구에 알맞은 그림을 고르세요.

go to the restroom

① 

② 

③ 

④ 

2 그림에 알맞은 단어를 고르세요.

① sweet ② sour
③ delicious ④ salty

3 그림에 없는 단어를 고르세요.

① noodles ② beef steak
③ fried rice ④ potato pizza

4 그림과 단어가 일치하지 않는 것을 고르세요.

① 

China

② 

Australia

③ 

Brazil

④ 

the U.S.

5 그림에 알맞은 단어를 보기 에서 골라 기호를 쓰세요.

보기 ⓐ dirty ⓑ hot ⓒ wet

(1)

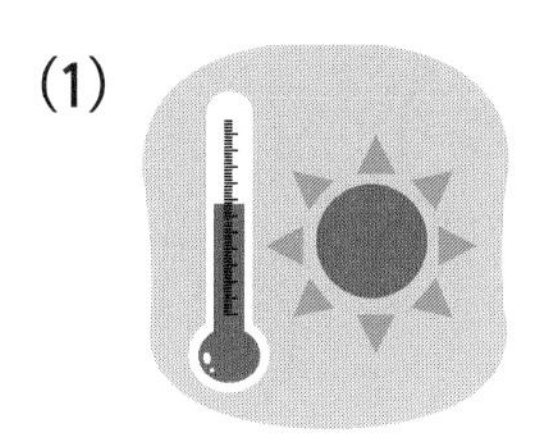

(2)

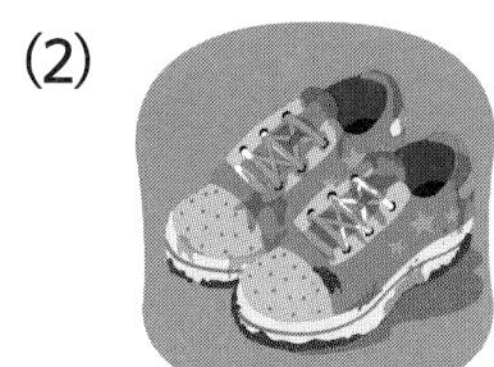

6 그림을 보고 문장의 빈칸에 알맞은 단어를 고르세요.

I'm from ________.

① Australia ② Korea

③ Brazil ④ France

7 그림에 알맞은 단어를 골라 쓰세요.

(fresh / spicy)

8 그림에 알맞은 단어가 되도록 알파벳을 바르게 배열하여 쓰세요.

(1) ________

(a c n e l)

(2) ________

(e w t)

3주에는 무엇을 공부할까? ①

재미있는 이야기로 이번 주에 공부할 내용을 알아보세요.

3 주

1일 **Whose Textbook Is This?** 사물

2일 **Let's Go Swimming** 여가 활동

3일 **My Favorite Subject Is Math** 과목

4일 **I Like to Make Robots** 좋아하는 일

5일 **SPECIAL VOCA** 반의어

3주에는 무엇을 공부할까? ②

A

◉ 여러분이 친구에게 함께 하자고 제안하고 싶은 활동에 동그라미 해 보세요.

camping

swimming

fishing

shopping

hiking

skating

B

◉ 여러분이 좋아하는 일에 동그라미 해 보세요.

read books

speak English

study math

make robots

play sports

draw pictures

똑똑한 하루 1일 VOCA

이것은 누구의 교과서니?

Whose Textbook Is This?

단어

재미있는 이야기로 오늘 배울 단어를 만나 보세요.

오늘 배울 단어를 듣고 따라 말한 후, 써 보세요.

phone
전화기

brush
빗

crayon
크레용

bottle
병

textbook
교과서

balloon
풍선

위의 그림을 짚으며 찬트 해 보세요.

단어 쑥쑥

잘 듣고, 알맞은 단어에 동그라미 하세요.

3

1. 

textbook balloon

2. 

crayon brush

3. 

bottle phone

그림에 알맞은 단어와 우리말 뜻을 연결하세요.

1. 

• • phone • • 전화기

2. 

• • textbook • • 빗

3. 

• • brush • • 교과서

▶정답 15쪽

C 그림에 알맞은 단어를 찾아 동그라미 한 후 빈칸에 쓰세요.

단어 쓰기

e z i b a l l o o n t d c r a y o n r h s b o t t l e k

1. 

2. 

3. 

D 그림을 보고, 퍼즐을 완성하세요.

단어 완성

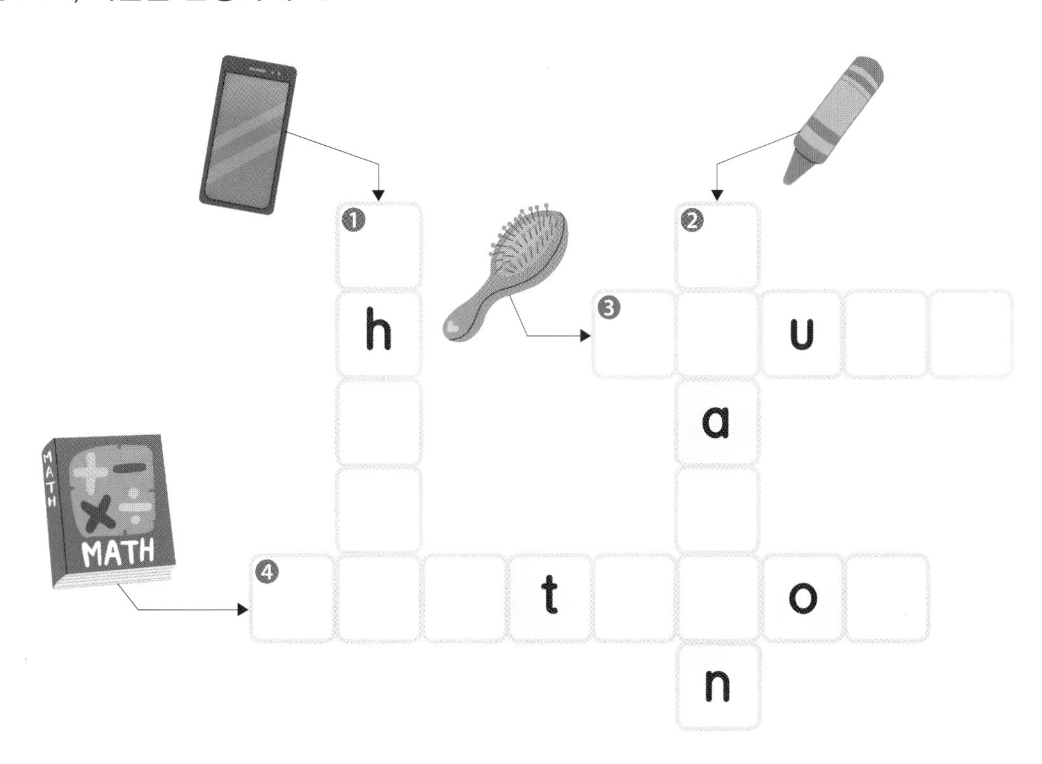

문장 쑥쑥

▶정답 15쪽

A 그림에 알맞은 단어를 골라 문장을 완성하세요.

1.

Whose ____________ is this?

(textbook / phone)

이것은 누구의 전화기니?

2.

Whose ____________ is this?

(brush / crayon)

이것은 누구의 빗이니?

B 그림에 알맞은 단어를 보기에서 골라 문장을 완성하세요.

'Whose + 물건 이름 + is this?'는 물건의 주인을 묻는 표현이에요.

보기	balloon	phone	textbook	bottle

1.

Whose ____________ is this?

이것은 누구의 교과서니?

2.

Whose ____________ is this?

이것은 누구의 풍선이니?

3.

Whose ____________ is this?

이것은 누구의 병이니?

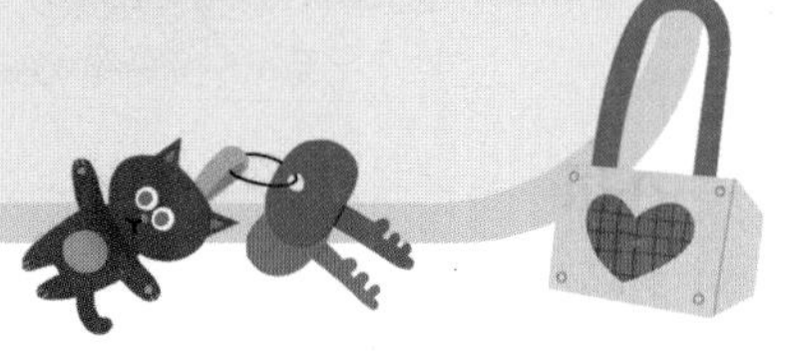

실력 쑥쑥

▶정답 15쪽

A 잘 듣고, 알맞은 단어에 동그라미 한 후 우리말 뜻을 쓰세요.

1. balloon / phone
뜻 ______

2. crayon / brush
뜻 ______

3. textbook / bottle
뜻 ______

B 그림에 알맞은 단어가 되도록 알파벳을 바르게 배열하여 쓰세요.

1. 

o t o x b e k t

2. 
o l b n l a o

3. 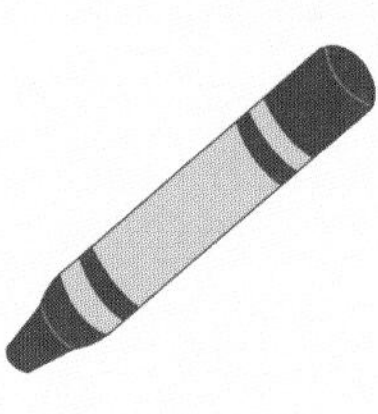
o r n a c y

4. 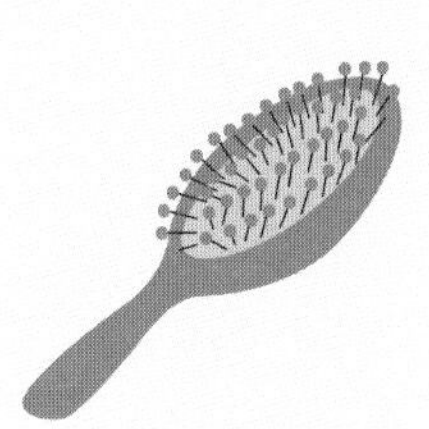
h b s u r

차곡차곡 복습!

◉ 단어나 어구를 듣고, 우리말 뜻을 말해 보세요.

똑똑한 하루 2일 VOCA

수영하러 가자

Let's Go Swimming 단어

재미있는 이야기로 오늘 배울 단어를 만나 보세요.

오늘 배울 단어를 듣고 따라 말한 후, 써 보세요.

camping
캠핑

swimming
수영

fishing
낚시

shopping
쇼핑

hiking
하이킹

skating
스케이팅

위의 그림을 짚으며 챈트 해 보세요.

단어 쑥쑥

A 잘 듣고, 알맞은 단어를 골라 기호를 쓰세요.

ⓐ skating ⓑ hiking ⓒ shopping

1. 

2. 

3. 

B 그림에 알맞은 단어를 연결하세요.

의미 연결

1. 
캠핑

2. 
낚시

- shopping
- swimming
- camping
- fishing

3. 
수영

4. 
쇼핑

▶정답 16쪽

C 그림에 알맞은 단어를 보기 에서 골라 쓰세요.

단어 쓰기

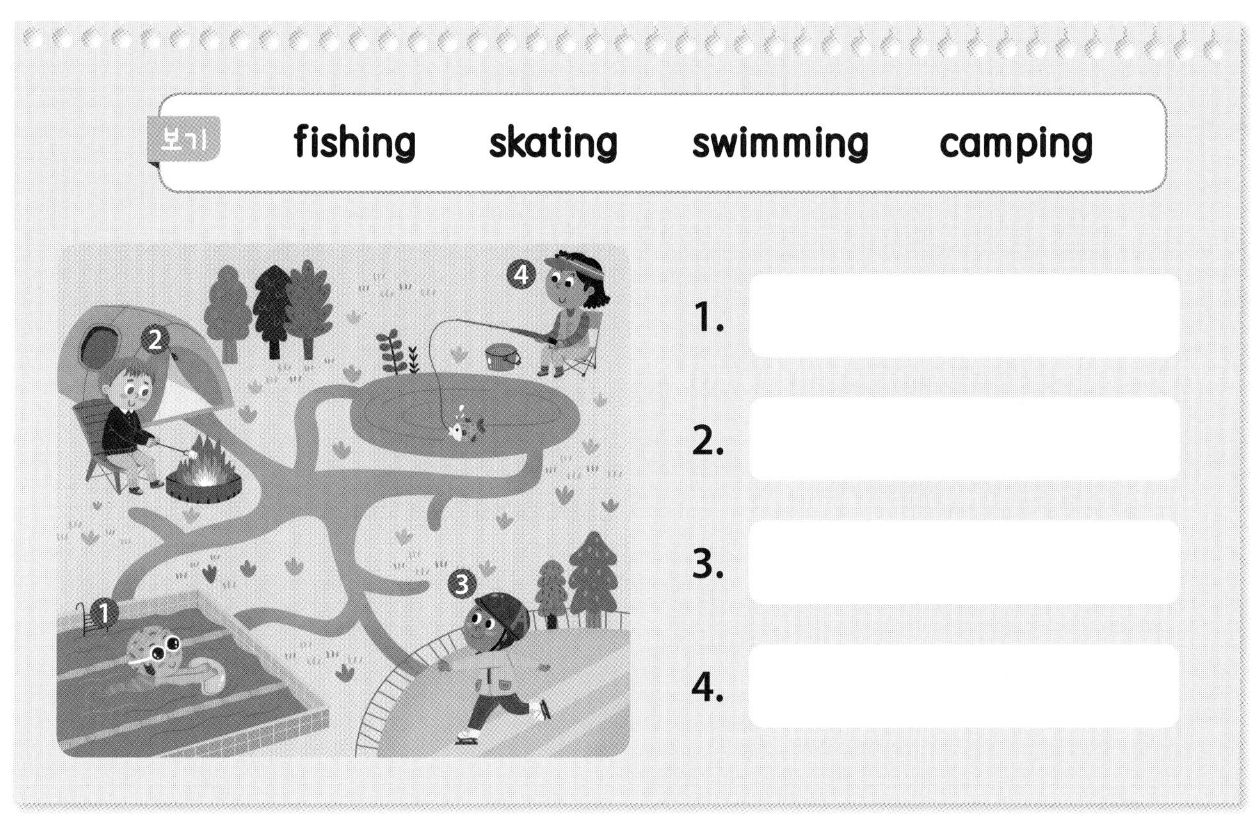

D 잘 듣고, 그림에 알맞은 단어를 완성하세요.

단어 완성

1.

s at ng

2.

c m ing

3.

iki g

문장 쑥쑥

▶정답 16쪽

A 그림에 알맞은 단어를 골라 문장을 완성하세요.

문장 완성

1. Let's go ______________.
(swimming / fishing)
수영하러 가자.

2. 

Let's go ______________.
(shopping / camping)
캠핑하러 가자.

B 그림에 알맞은 단어를 보기 에서 골라 문장을 완성하세요.

문장 쓰기

Let's는 Let us의 줄임말로 '~하자.'는 뜻이에요.

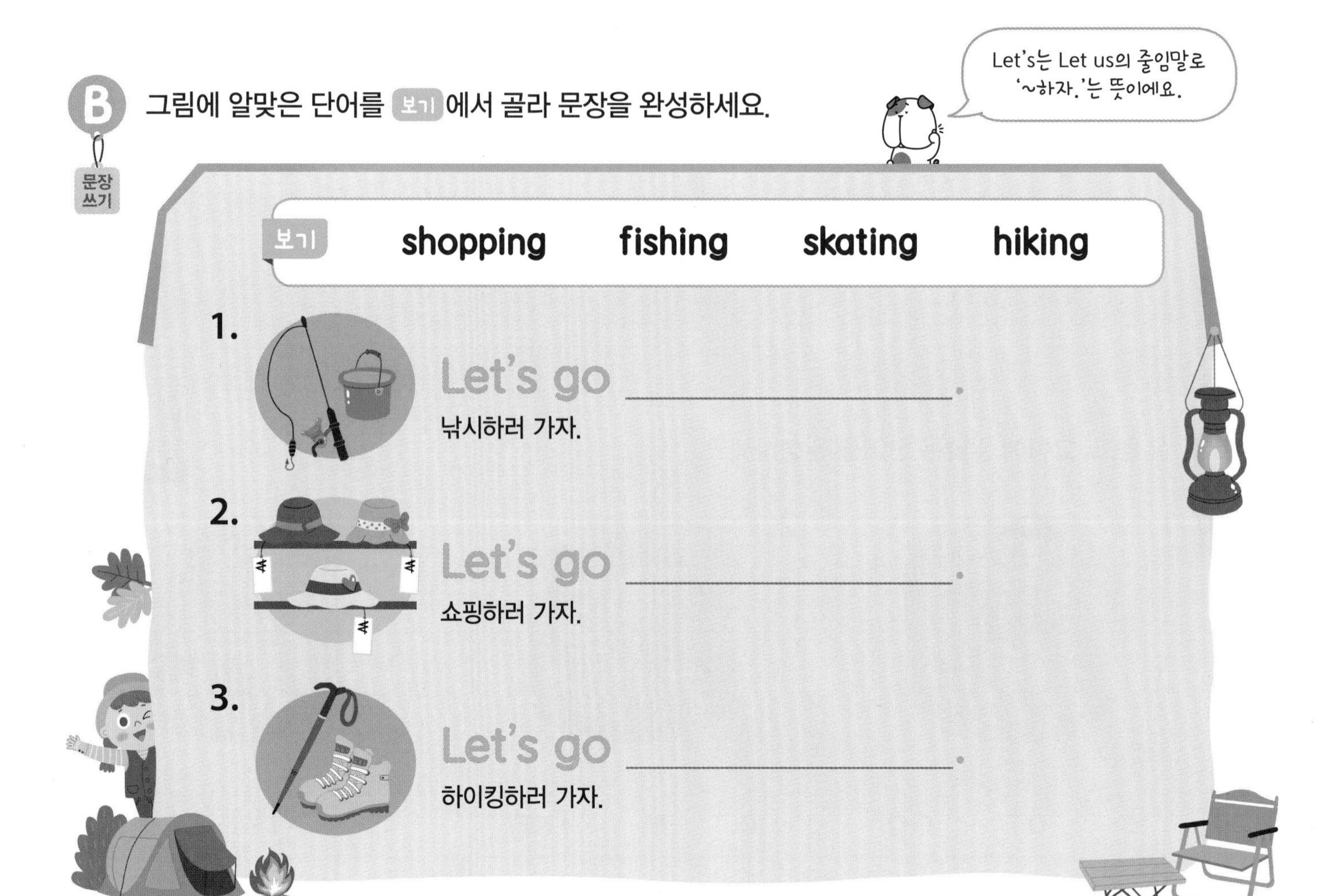

보기 shopping fishing skating hiking

1. Let's go ______________.
낚시하러 가자.

2. Let's go ______________.
쇼핑하러 가자.

3. Let's go ______________.
하이킹하러 가자.

복습 실력 쑥쑥

▶정답 16쪽

A 잘 듣고, 알맞은 단어에 동그라미 한 후 우리말 뜻을 쓰세요.

1. shopping / hiking
   뜻 ____________

2. camping / fishing
   뜻 ____________

3. skating / swimming
   뜻 ____________

B 그림에 알맞은 단어가 되도록 알파벳을 바르게 배열하여 쓰세요.

1. 
   n i m s m w g i
   ____

2. 
   n k g i i h
   ____

3. 
   g i a k n s t
   ____

4. 
   p a n c i m g
   ____

◉ 단어를 듣고, 우리말 뜻을 말해 보세요.

내가 가장 좋아하는 과목은 수학이야

My Favorite Subject Is Math

단어

재미있는 이야기로 오늘 배울 단어를 만나 보세요.

오늘 배울 단어를 듣고 따라 말한 후, 써 보세요.

Korean
국어

English
영어

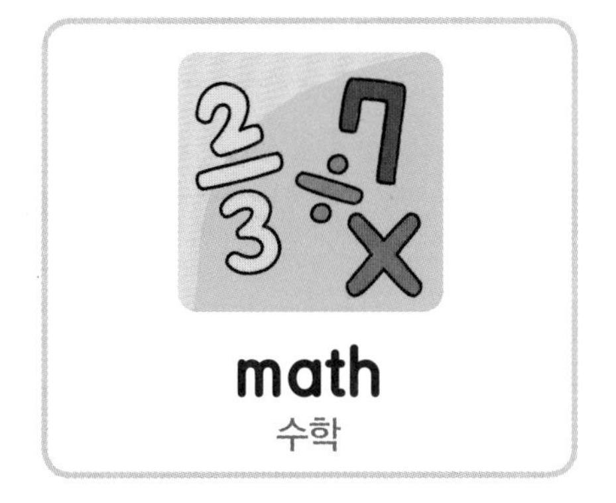

math
수학

science
과학

P.E.
체육

art
미술

위의 그림을 짚으며 찬트 해 보세요.

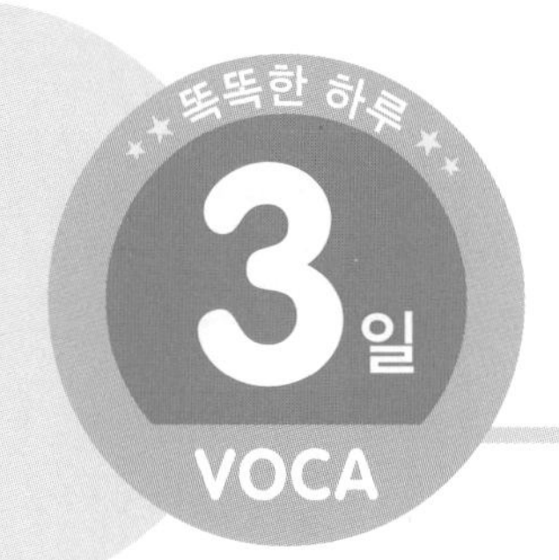

단어 쑥쑥

잘 듣고, 알맞은 단어에 동그라미 하세요.

1.

science English

2.

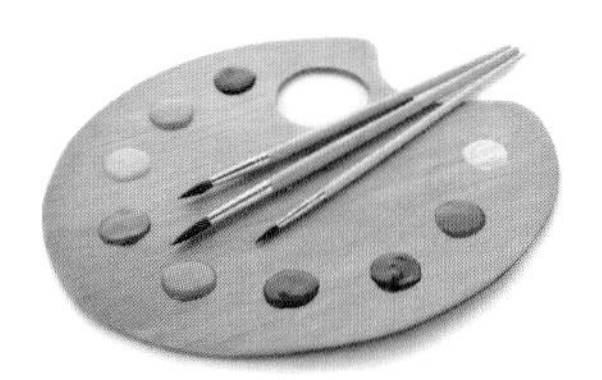

Korean art

3.

P.E. math

그림에 알맞은 단어와 우리말 뜻을 연결하세요.

1.

science

국어

2.

math

과학

3.

Korean

수학

▶정답 17쪽

그림에 알맞은 단어를 찾아 동그라미 한 후 빈칸에 쓰세요.

단어 쓰기

D 그림을 보고, 퍼즐을 완성하세요.

단어 완성

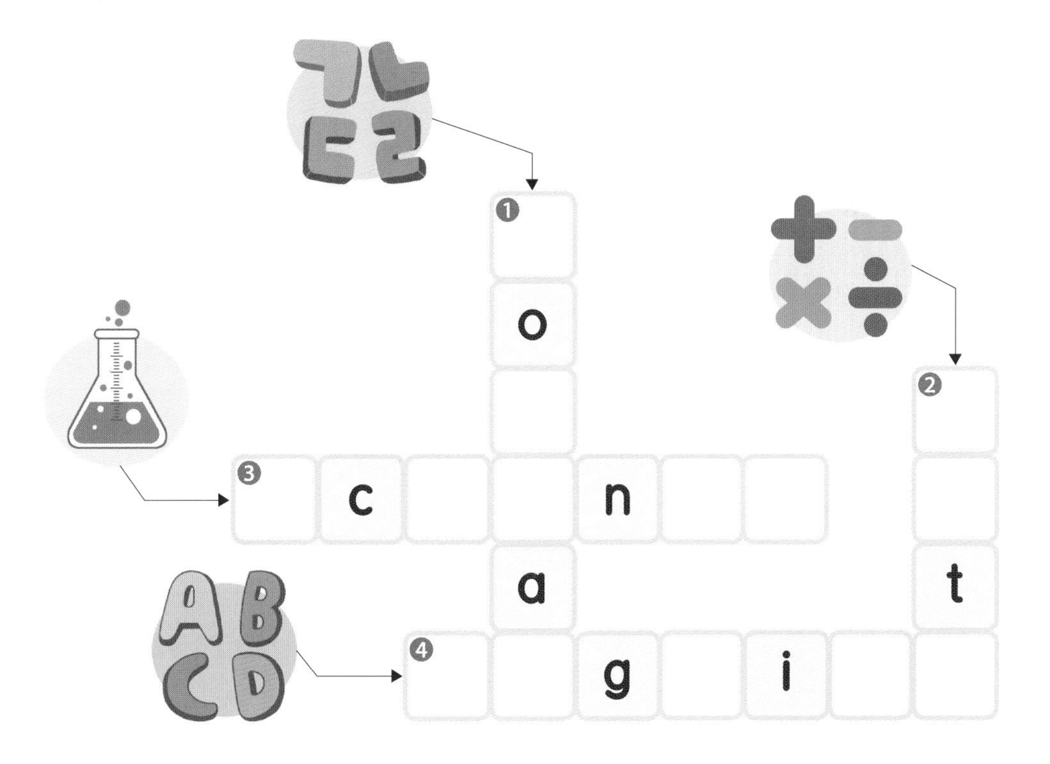

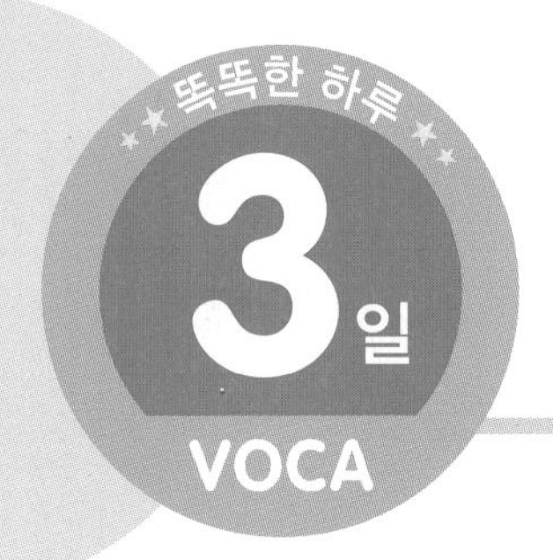

문장 쑥쑥

▶정답 17쪽

A 그림에 알맞은 단어를 골라 문장을 완성하세요.

1. 

My favorite subject is ______________.
(English / science)

내가 가장 좋아하는 과목은 과학이야.

2. 

My favorite subject is ______________
(P.E. / math)

내가 가장 좋아하는 과목은 체육이야.

'My favorite subject is + 과목 이름.'은 내가 가장 좋아하는 과목을 나타내는 표현이에요.

B 그림에 알맞은 단어를 보기 에서 골라 문장을 완성하세요.

보기 Korean art English math

1. 

My favorite subject is ______________.
내가 가장 좋아하는 과목은 수학이야.

2. 

My favorite subject is ______________.
내가 가장 좋아하는 과목은 미술이야.

3. 

My favorite subject is ______________.
내가 가장 좋아하는 과목은 국어야.

실력 쑥쑥

▶정답 17쪽

A 잘 듣고, 알맞은 단어에 동그라미 한 후 우리말 뜻을 쓰세요.

1. Korean / math
뜻 ____________

2. art / science
뜻 ____________

3. P.E. / English
뜻 ____________

B 그림에 알맞은 단어가 되도록 알파벳을 바르게 배열하여 쓰세요.

1.  g h l n E i s
____

2. 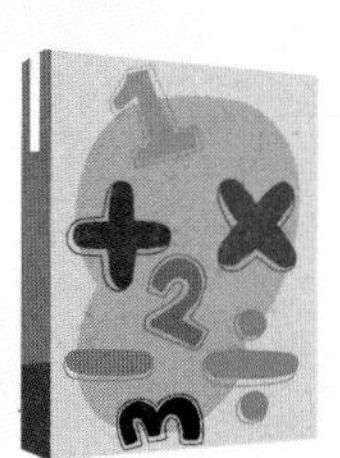 h m t a
____

3.  n e c s e c i
____

4.  e o K n r a
____

◉ 단어를 듣고, 우리말 뜻을 말해 보세요.

나는 로봇 만드는 것을 좋아해

I Like to Make Robots

단어

재미있는 이야기로 오늘 배울 어구를 만나 보세요.

오늘 배울 어구를 듣고 따라 말한 후, 써 보세요.

read books
책을 읽다

speak English
영어로 말하다

study math
수학을 공부하다

make robots
로봇을 만들다

play sports
운동을 하다

draw pictures
그림을 그리다

위의 그림을 짚으며 챈트 해 보세요.

단어 쑥쑥

A 잘 듣고, 알맞은 어구에 동그라미 하세요.

1. 

make robots
speak English

2. 

read books
study math

3. 

draw pictures
play sports

B 그림에 알맞은 어구를 연결하세요.

1. 

영어로 말하다

2. 

책을 읽다

- speak English
- draw pictures
- make robots
- read books

3. 

그림을 그리다

4. 

로봇을 만들다

▶정답 18쪽

C 그림에 알맞은 어구를 보기 에서 골라 쓰세요.

어구 쓰기

보기 read books play sports draw pictures

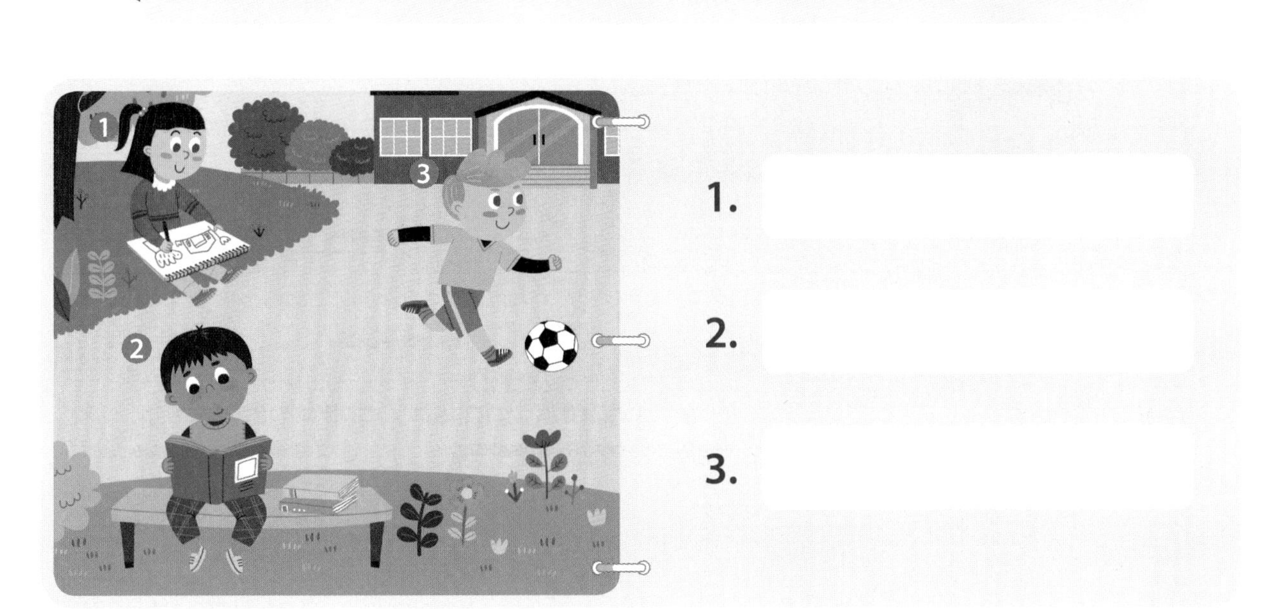

1. ______

2. ______

3. ______

D 잘 듣고, 그림에 알맞은 어구를 완성하세요.

어구 완성

1.

p ☐ ay s ☐ o ☐ ts

2.

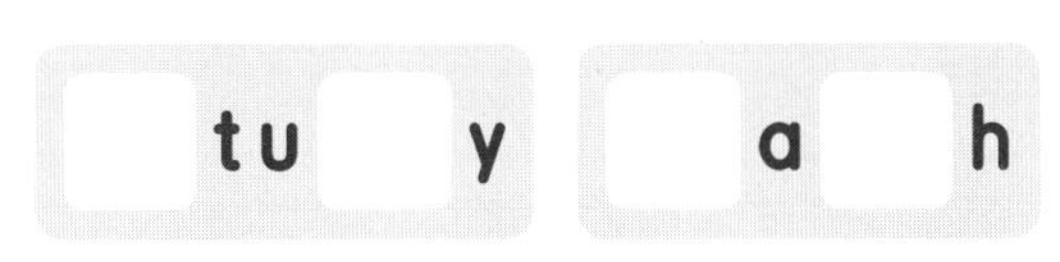

☐ tu ☐ y ☐ a ☐ h

3.

sp ☐ a ☐

En ☐ l ☐ sh

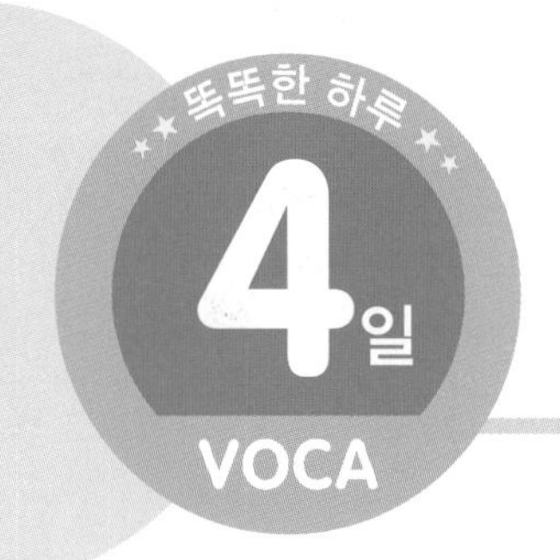

문장 쑥쑥

▶정답 18쪽

A 그림에 알맞은 어구를 골라 문장을 완성하세요.

문장 완성

1.

I like to ______________________.

(read books / play sports)

나는 책 읽는 것을 좋아해.

2.

I like to ______________________.

(speak English / draw pictures)

나는 그림 그리는 것을 좋아해.

B 그림에 알맞은 어구를 보기에서 골라 문장을 완성하세요.

문장 쓰기

'I like to + 동작을 나타내는 말.'은 좋아하는 일을 나타내는 표현이에요.

보기	speak English	study math	make robots

1.

I like to ______________________.

나는 수학 공부하는 것을 좋아해.

2.

I like to ______________________.

나는 영어로 말하는 것을 좋아해.

3.

I like to ______________________.

나는 로봇 만드는 것을 좋아해.

복습 실력 쑥쑥

▶정답 18쪽

A 잘 듣고, 알맞은 어구에 동그라미 한 후 우리말 뜻을 쓰세요.

1. study math / speak English → 뜻

2. read books / draw pictures → 뜻

3. make robots / play sports → 뜻

B 그림에 알맞은 어구가 되도록 알파벳을 바르게 배열하여 쓰세요.

1. 

_____ (e m k a) _____ (t b s o o r)

2. 

_____ (a r w d) _____ (t e p u c s i r)

3. 

_____ (k a p s e) _____ (i n E g s l h)

차곡차곡 복습!

◉ 단어나 어구를 듣고, 우리말 뜻을 말해 보세요.

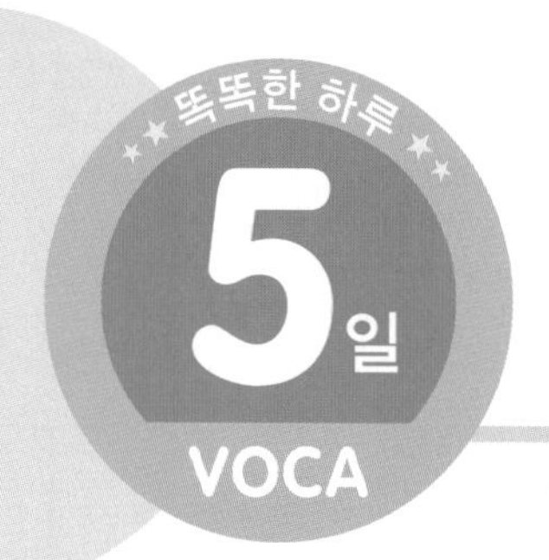

스페셜

SPECIAL VOCA

반대의 뜻을 가진

반의어

재미있는 이야기로 오늘 배울 단어를 만나 보세요.

오늘 배울 단어를 들으며 따라 말해 보세요.

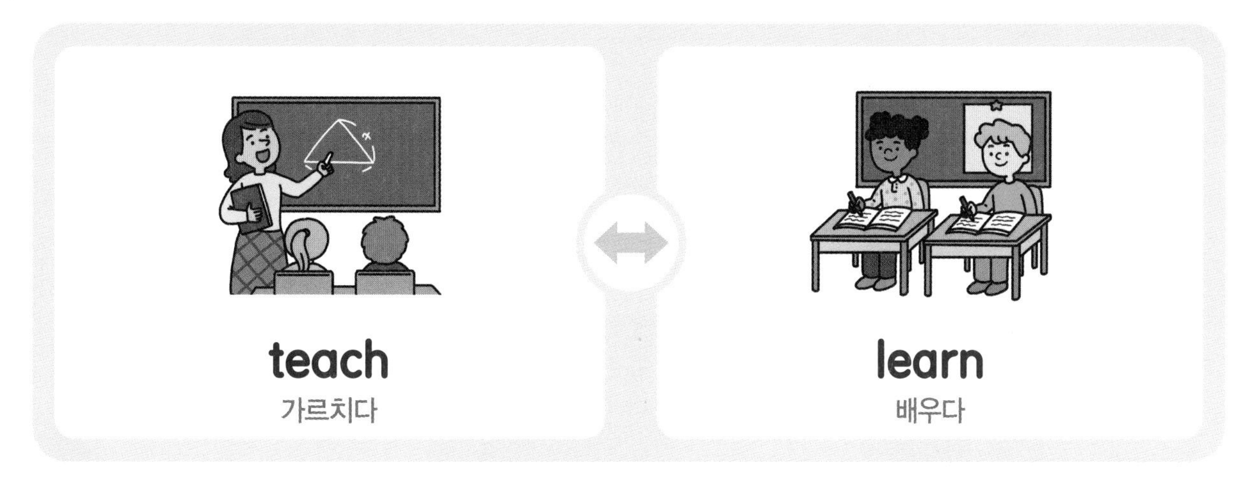

teach
가르치다

learn
배우다

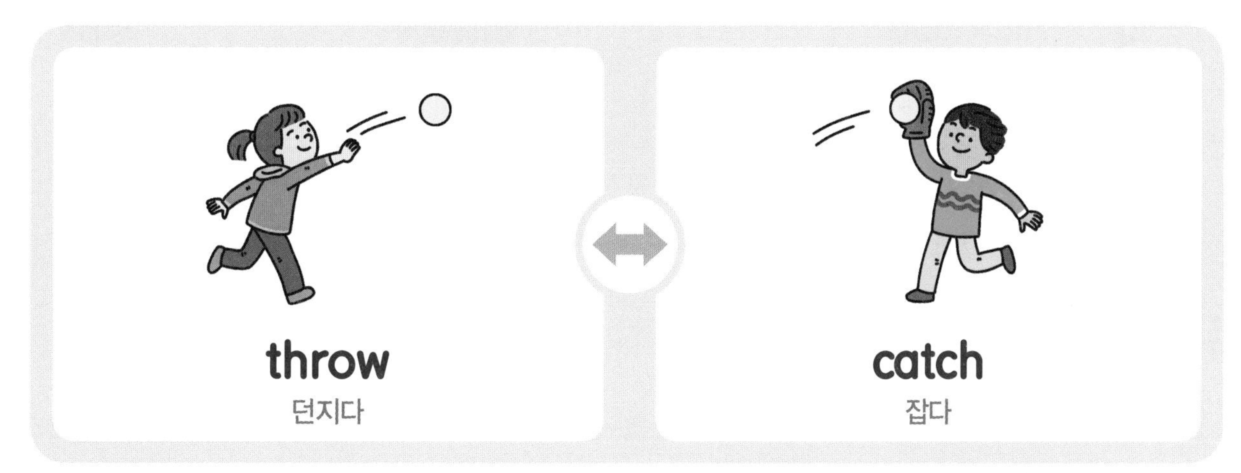

throw
던지다

catch
잡다

work
일하다

play
놀다

위의 그림을 짚으며 찬트 해 보세요.

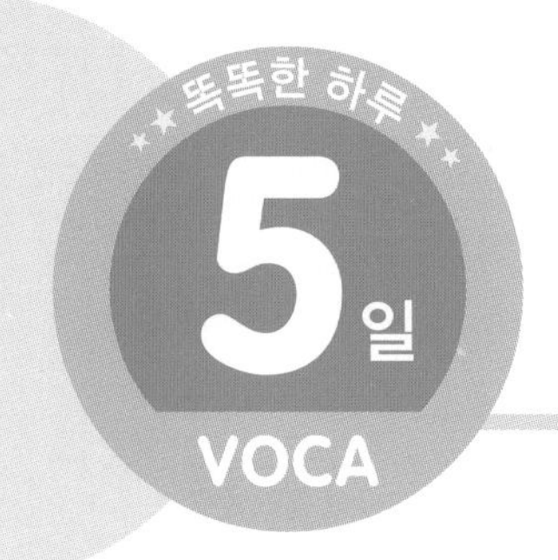

단어 쑥쑥

A 잘 듣고, 알맞은 단어를 골라 기호를 쓰세요.

ⓐ teach ⓑ throw ⓒ work

1.

2.

3.

B 그림에 알맞은 단어를 골라 동그라미 한 후, 반대의 뜻을 가진 단어와 연결하세요.

의미 연결

1.

잡다

work / catch • • teach

2.

배우다

learn / throw • • work

3.

놀다

play / teach • • throw

▶정답 19쪽

C 그림에 알맞은 단어를 보기 에서 골라 쓰세요.

보기 learn throw teach catch

1.
2.
3.
4.

D 그림에 알맞은 단어를 완성하세요.

단어 완성

1.

2.

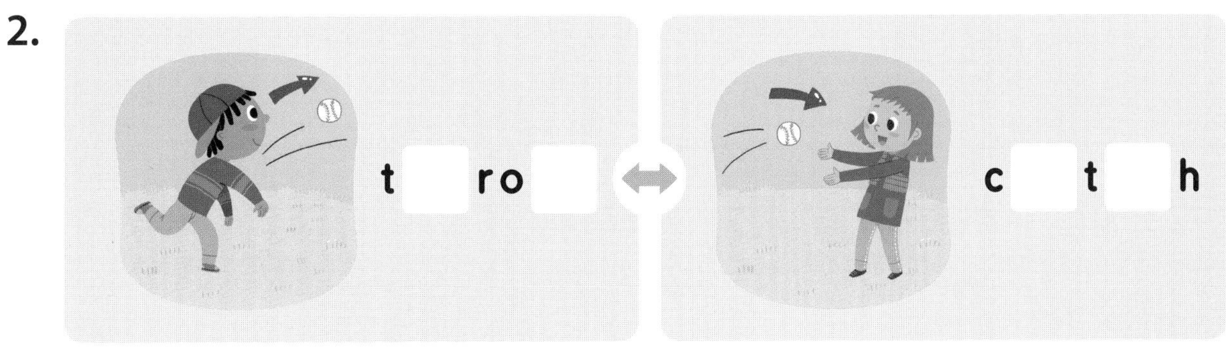

단어 쑥쑥 플러스

▶정답 19쪽

◉ 그림에 알맞은 단어를 보기 에서 골라 쓴 후, 반대의 뜻을 가진 단어와 연결하세요.

보기 throw play learn work catch teach

1. 배우다

2. 잡다

3. 일하다

4. 놀다

5. 던지다

6. ENGLISH
가르치다

▶정답 19쪽

A 잘 듣고, 알맞은 단어에 동그라미 한 후 우리말 뜻을 쓰세요.

4

1. work / play
뜻 ________

2. throw / catch
뜻 ________

3. learn / teach
뜻 ________

B 그림에 알맞은 단어가 되도록 알파벳을 바르게 배열하여 쓰세요.

1. 
korw
____

2. 
torwh
____

3. 
alyp
____

4. 

hetca
____

차곡차곡 복습!

◉ 단어나 어구를 듣고, 우리말 뜻을 말해 보세요.

5

배운 내용을 떠올리며 말판 놀이를 해 보세요.

START
1. 그림을 보고 알맞은 단어에 동그라미 하세요.
science
math
2. 그림에 알맞은 단어를 완성하세요.
hi__i__g
3. 그림을 보고 알파벳을 바르게 배열하여 단어를 쓰세요.
otbelt
→ ________
4. 그림과 어구가 일치하면 ○ 표, 일치하지 않으면 × 표 하세요.
study math
5. 단어를 읽고 알맞은 우리말 뜻과 연결하세요.
balloon •
textbook •
• 교과서
• 풍선
6. 그림을 보고 알파벳을 바르게 배열하여 단어를 쓰세요.
namgpci
→ ________

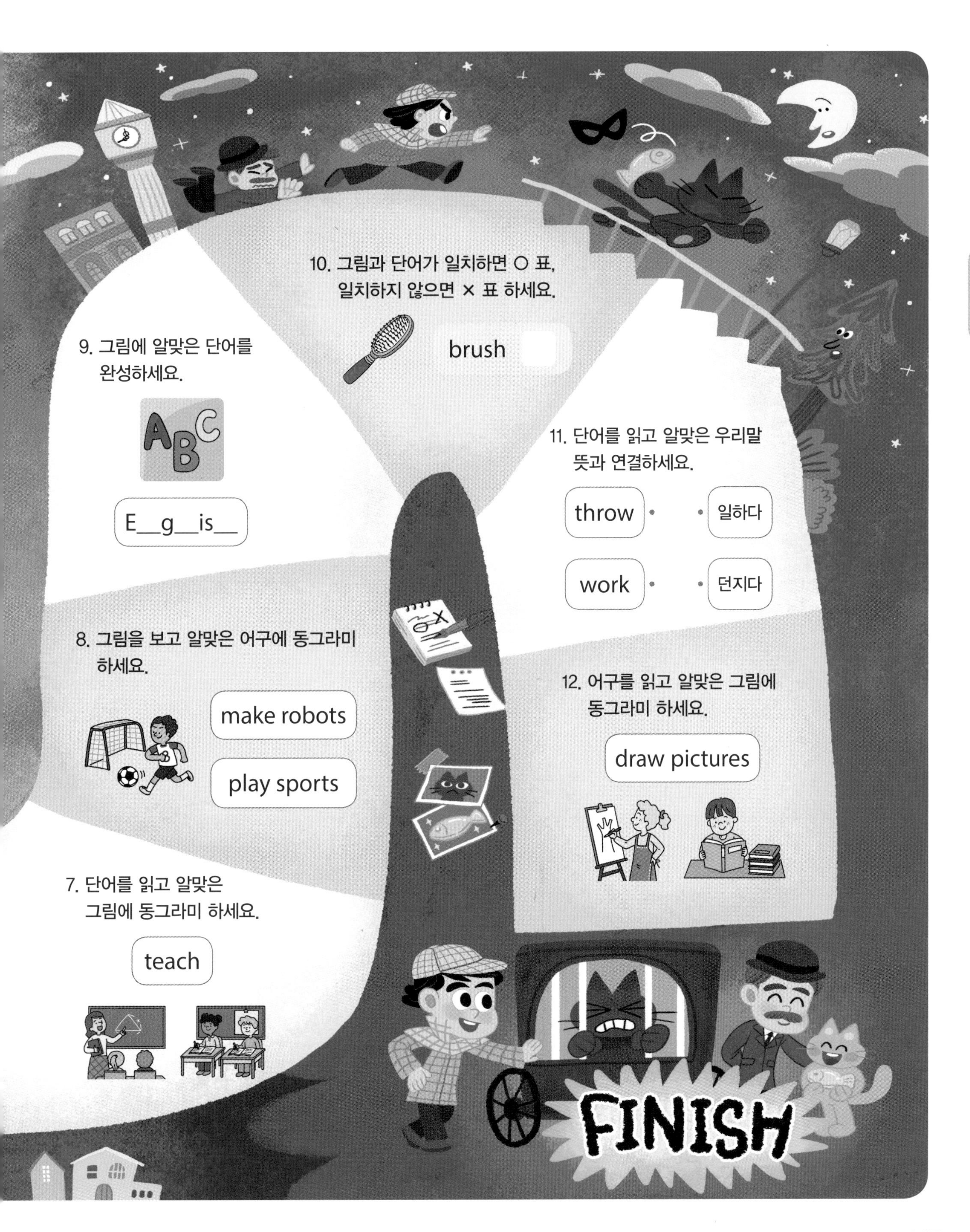
10. 그림과 단어가 일치하면 ○ 표, 일치하지 않으면 × 표 하세요.
brush
9. 그림에 알맞은 단어를 완성하세요.
ABC
E__g__is__
11. 단어를 읽고 알맞은 우리말 뜻과 연결하세요.
throw
work
일하다
던지다
8. 그림을 보고 알맞은 어구에 동그라미 하세요.
make robots
play sports
12. 어구를 읽고 알맞은 그림에 동그라미 하세요.
draw pictures
7. 단어를 읽고 알맞은 그림에 동그라미 하세요.
teach
FINISH

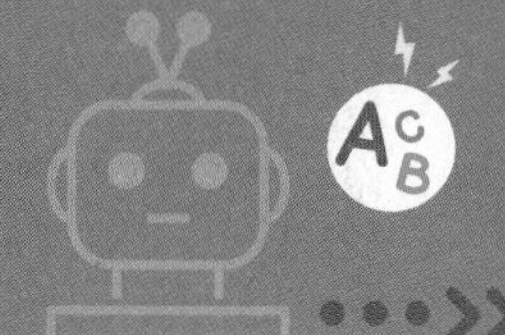

A 유주네 반에서 학생들이 가장 좋아하는 과목을 조사했어요. 단서를 읽고 빈칸에 알맞은 숫자를 쓴 후, 인기가 많은 과목의 순서대로 단어를 쓰세요.

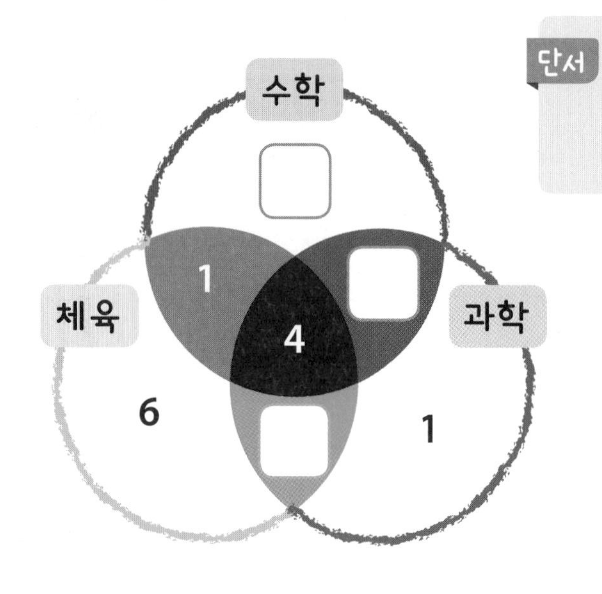

단서
- 유주네 반의 학생 수는 20명이에요.
- math와 science를 모두 좋아하는 학생은 3명이에요.
- science와 P.E.를 모두 좋아하는 학생은 2명이에요.

B 라비가 친구들에게 단어 수수께끼를 내고 있어요. 단서를 읽고 단어를 완성한 후, 우리말 뜻을 쓰세요.

단서
1. 첫 번째 알파벳은 영어 알파벳 중 여섯 번째 알파벳이에요.
2. 두 번째와 다섯 번째는 영어로 '나'를 나타내는 단어와 같은 알파벳이에요.
3. 네 번째 알파벳은 (빗 그림)를 나타내는 단어의 마지막 알파벳과 같아요.
4. 여섯 번째와 일곱 번째 알파벳을 합치면 /응/ 소리가 나요.

1	2	3	4	5	6	7	뜻:
		s					________

정답 20쪽

C 힌트 를 참고하여 두 장의 색종이를 겹친 구멍에 해당하는 알파벳으로 단어를 쓴 후, 우리말 뜻을 쓰세요.

힌트

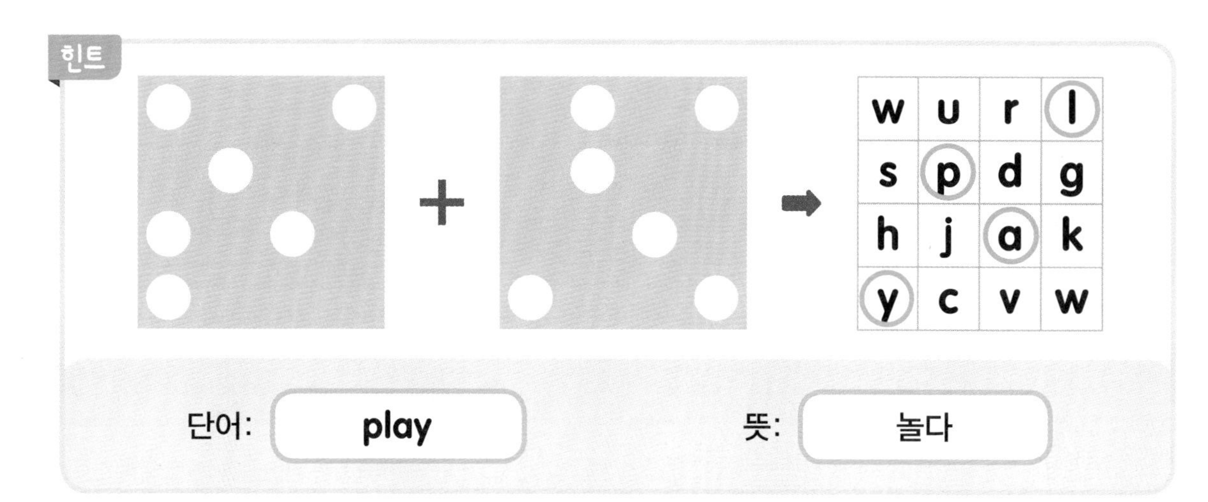

단어: **play** 뜻: 놀다

1.

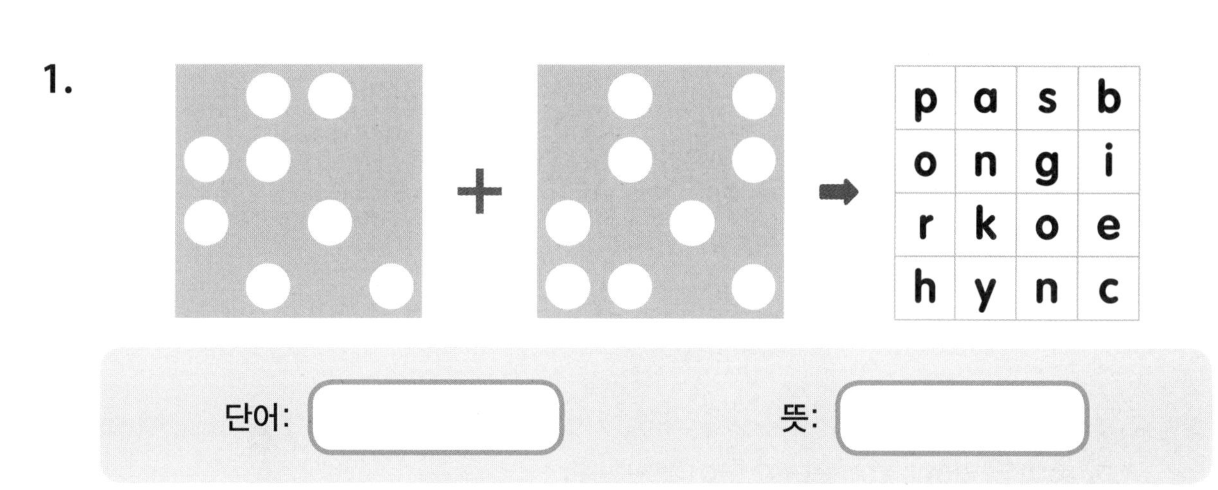

단어: 뜻:

2.

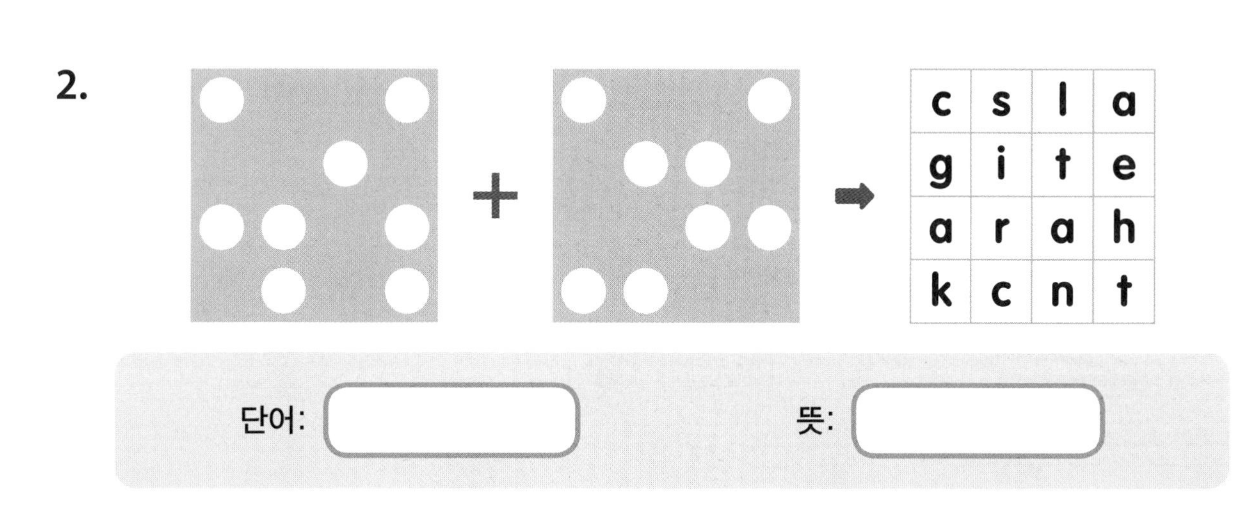

단어: 뜻:

3 주

D 라비가 내일 시간표를 암호로 알려 주었어요. 단서와 힌트를 참고하여 암호를 푼 후, 우리말 뜻을 쓰세요.

단서

☆	●	△	◎	♠	♧	◆	◑	▣
a	K	h	m	t	r	e	o	n

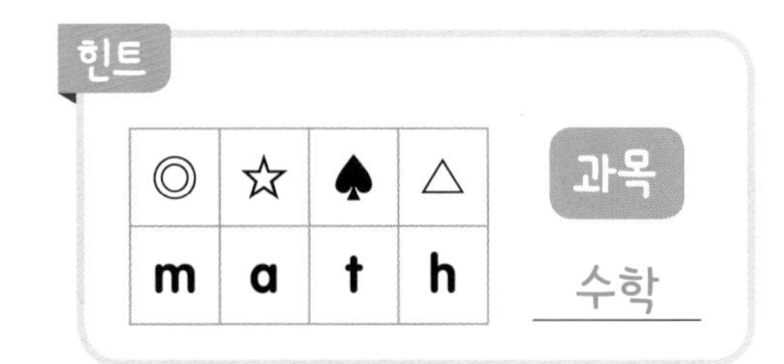

힌트

◎	☆	♠	△
m	a	t	h

과목: 수학

1\.

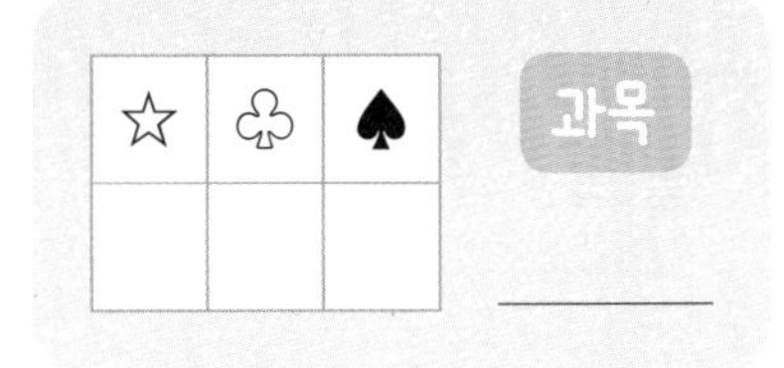

☆	♧	♠

과목: ______

2\.

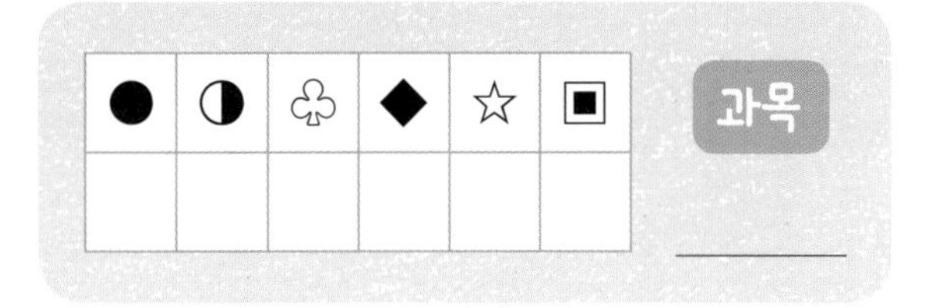

●	◑	♧	◆	☆	▣

과목: ______

E 그림 카드가 어떤 규칙에 따라 나열되어 있어요. 그림에 알맞은 단어를 보기에서 골라 쓰고, 규칙을 찾아 ?에 들어갈 단어를 쓰세요.

보기 throw balloon bottle work textbook teach

F 라비와 쪼꼬가 숫자만 쓸 수 있는 휴대 전화를 발견해 문자 메시지를 보냈어요. 단서 와 힌트 를 참고하여 메시지에 해당하는 단어나 어구를 쓴 후, 우리말 뜻을 쓰세요.

단서 c를 쓰려면 2를 세 번 눌러야 해요.

힌트

2277788777744

단어: brush

뜻: 빗

1.

75552999

단어: ____________

뜻: ____________

2.

어구: ____________

뜻: ____________

3주 누구나 100점 TEST

1 어구에 알맞은 그림을 고르세요.

draw pictures

① 

② 

③ 

④ 

2 그림에 알맞은 단어를 고르세요.

① work ② teach
③ learn ④ play

3 그림에 없는 단어를 고르세요.

① shopping ② skating
③ camping ④ fishing

4 그림과 단어가 일치하지 않는 것을 고르세요.

① 

textbook

② 

bottle

③ 

phone

④ 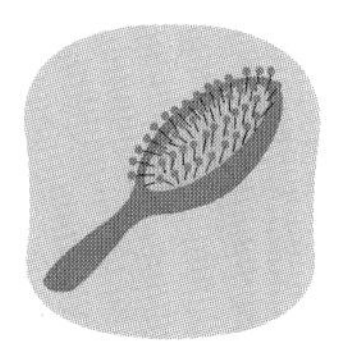

brush

맞은 개수 /8개

▶정답 21쪽

5 그림에 알맞은 단어를 보기에서 골라 기호를 쓰세요.

보기 ⓐ English ⓑ art ⓒ science

(1) 

(2) 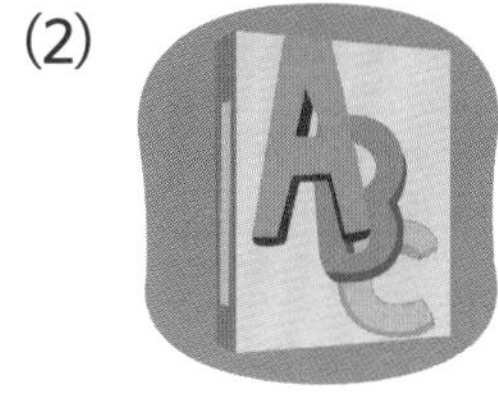

6 문장의 빈칸에 알맞은 단어를 고르세요.

Whose ________ is this?

① balloon ② phone

③ crayon ④ bottle

7 그림에 알맞은 단어를 골라 쓰세요.

(hiking / swimming)

8 그림에 알맞은 단어가 되도록 알파벳을 바르게 배열하여 쓰세요.

(1) (o h w r t)

(2) (h c t a c)

3주

4주 4주에는 무엇을 공부할까? ①

재미있는 이야기로 이번 주에 공부할 내용을 알아보세요.

띠릭-
띠릭-
윽! 큰일이다.
벌써 6시야.

부웅~
펑
펑
으악!

우주선에 있는
가구들은 저녁 6시가 넘으면
살아서 움직여. 미리
말을 못 해서 미안!
긁적

이번 주에는 장소, 집 내부, 집 안 물건을
나타내는 단어와 일과를 나타내는
어구를 공부할 거야. 그리고 복합어를
재미있게 공부해 보자.

4 주

4주차
공부할 내용

4주

4주에는 무엇을 공부할까? 2

A

◉ 여러분이 친구에게 소개해 본 적이 있는 집 안의 장소에 동그라미 해 보세요.

bedroom

living room

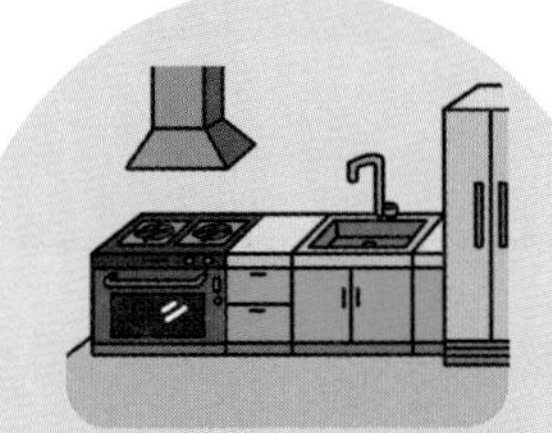
kitchen

bathroom

garden

yard

4 주

◉ 여러분이 매일 하는 일과에 동그라미 한 후 시각을 적어 보세요.

get up

go to school

come home

do your homework

have a piano lesson

go to bed

나는 일요일마다 박물관에 가

I Go to the Museum on Sundays

단어

재미있는 이야기로 오늘 배울 단어를 만나 보세요.

1

오늘 배울 단어를 듣고 따라 말한 후, 써 보세요.

zoo
동물원

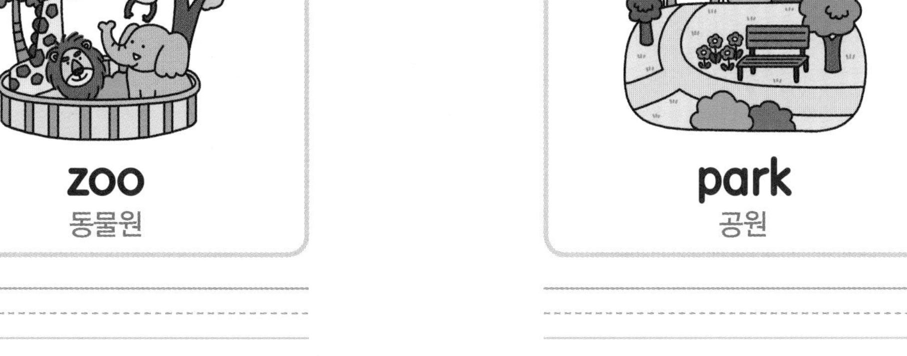

park
공원

museum
박물관

beach
해변

farm
농장

market
시장

위의 그림을 짚으며 찬트 해 보세요.

단어 쑥쑥

A 잘 듣고, 알맞은 단어에 동그라미 하세요.

1. 

farm museum

2. 

park market

3. 

beach zoo

B 그림에 알맞은 단어와 우리말 뜻을 연결하세요.

1.  • • farm • • 시장

2.  • • zoo • • 동물원

3.  • • market • • 농장

▶정답 22쪽

C 그림에 알맞은 단어를 찾아 동그라미 한 후 빈칸에 쓰세요.

단어 쓰기

i v b e a c h o l s w p a r k y t s m u s e u m q r

1.

2.

3.

D 그림을 보고, 퍼즐을 완성하세요.

단어 완성

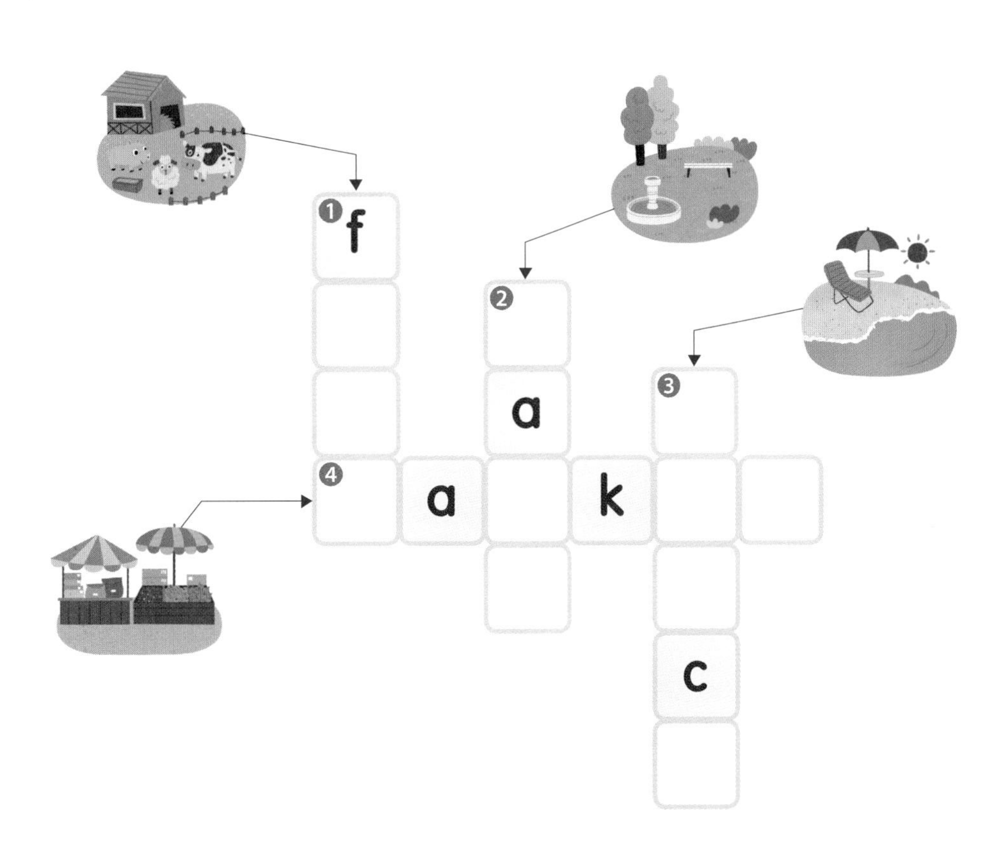

문장 쑥쑥

▶정답 22쪽

A 그림에 알맞은 단어를 골라 문장을 완성하세요.

1. 

I go to the ______________ on Sundays.
(farm / market)
나는 일요일마다 농장에 가.

2. 

I go to the ______________ on Saturdays.
(museum / zoo)
나는 토요일마다 동물원에 가.

'나는 토요일[일요일]마다 ~에 가.'라고 말할 때는 'I go to the + 장소 이름 + on Saturdays[Sundays].'라고 해요.

B 그림에 알맞은 단어를 보기에서 골라 문장을 완성하세요.

문장 쓰기

보기	beach	museum	market	park

1. I go to the ______________ on Sundays.
나는 일요일마다 시장에 가.

2. 

I go to the ______________ on Saturdays.
나는 토요일마다 해변에 가.

3. 

I go to the ______________ on Sundays.
나는 일요일마다 박물관에 가.

실력 쑥쑥

▶정답 22쪽

A 잘 듣고, 알맞은 단어에 동그라미 한 후 우리말 뜻을 쓰세요.

4

1. zoo / beach

뜻 ____________

2. market / museum

뜻 ____________

3. park / farm

뜻 ____________

B 그림에 알맞은 단어가 되도록 알파벳을 바르게 배열하여 쓰세요.

1. 

k a p r

2. 

t r e m k a

3. 

h a c e b

4. 

o z o

◉ 단어나 어구를 듣고, 우리말 뜻을 말해 보세요.

5

이곳은 정원이야

This Is the Garden

단어

재미있는 이야기로 오늘 배울 단어를 만나 보세요.

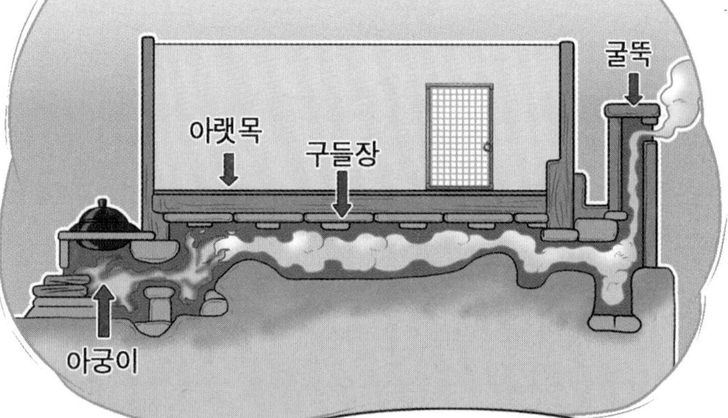

오늘 배울 단어를 듣고 따라 말한 후, 써 보세요.

bedroom
침실

living room
거실

kitchen
부엌

bathroom
욕실

garden
정원

yard
마당

위의 그림을 짚으며 찬트 해 보세요.

단어 쑥쑥

잘 듣고, 알맞은 단어를 골라 기호를 쓰세요.

ⓐ bathroom ⓑ garden ⓒ bedroom

1. 

2. 

3. 

그림에 알맞은 단어를 연결하세요.

의미 연결

1. 
부엌

2. 
거실

bedroom

yard

living room

kitchen

3. 
마당

4. 
침실

▶정답 23쪽

C 그림에 알맞은 단어를 보기 에서 골라 쓰세요.

단어 쓰기

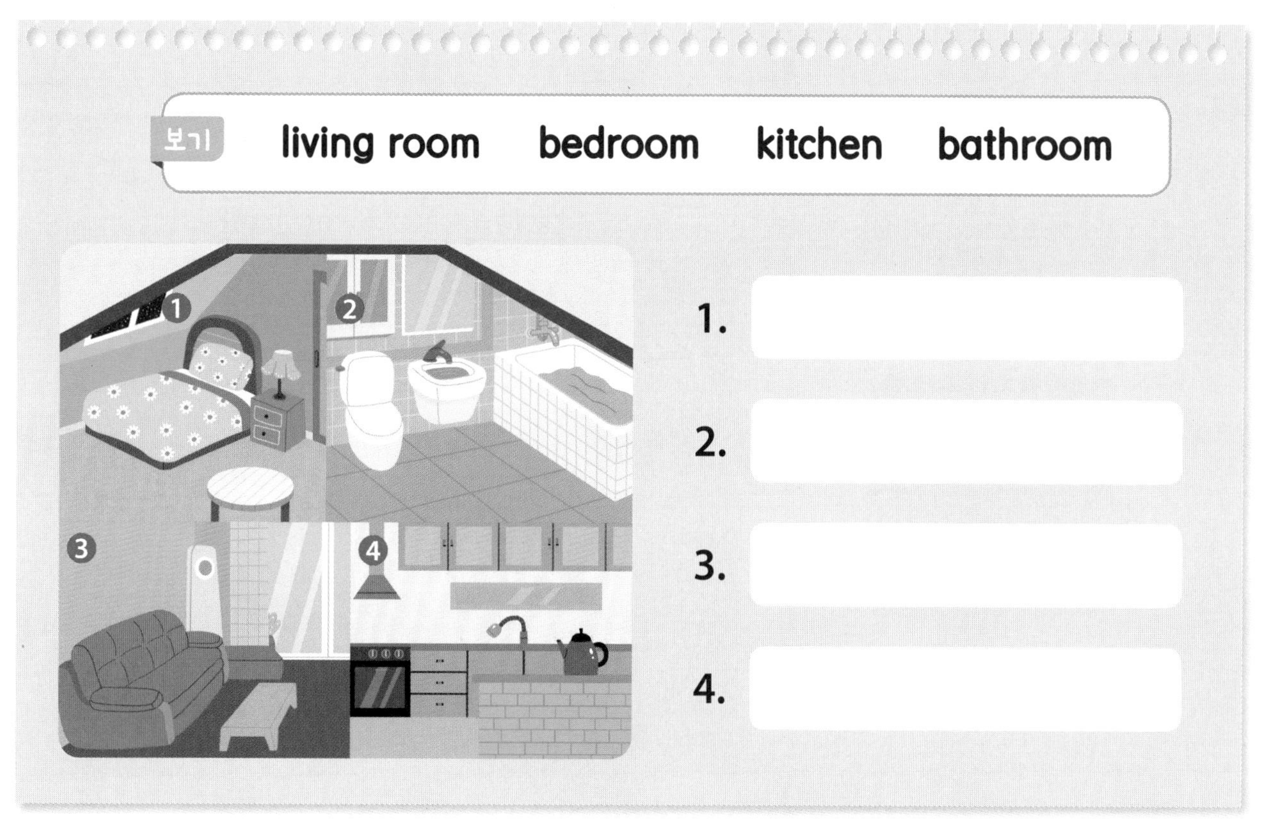

D 잘 듣고, 그림에 알맞은 단어를 완성하세요.

단어 완성

1.

ard n

2.

ba hr om

3.

ya d

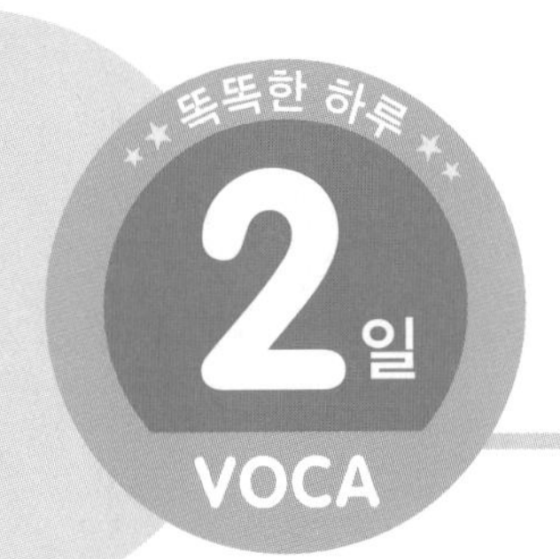

문장 쑥쑥

▶정답 23쪽

A 그림에 알맞은 단어를 골라 문장을 완성하세요.

1. 

This is the ______________.
(bathroom / living room)
이곳은 거실이야.

2. 

This is the ______________.
(yard / kitchen)
이곳은 마당이야.

B 그림에 알맞은 단어를 보기에서 골라 문장을 완성하세요.

문장 쓰기

장소를 소개할 때는
'This is the + 장소 이름.'으로 해요.

보기: garden bathroom kitchen bedroom

1. 

This is the ______________.
이곳은 부엌이야.

2. 

This is the ______________.
이곳은 정원이야.

3. 

This is the ______________.
이곳은 욕실이야.

▶정답 23쪽

5

A 잘 듣고, 알맞은 단어에 동그라미 한 후 우리말 뜻을 쓰세요.

1. yard / bedroom
뜻 ____________

2. living room / bathroom
뜻 ____________

3. garden / kitchen
뜻 ____________

B 그림에 알맞은 단어가 되도록 알파벳을 바르게 배열하여 쓰세요.

1. 
o d r b m e o
____

2. 
r a d y
____

3. 
n a g d r e
____

4. 
h a t o b r m o
____

◉ 단어를 듣고, 우리말 뜻을 말해 보세요.

6

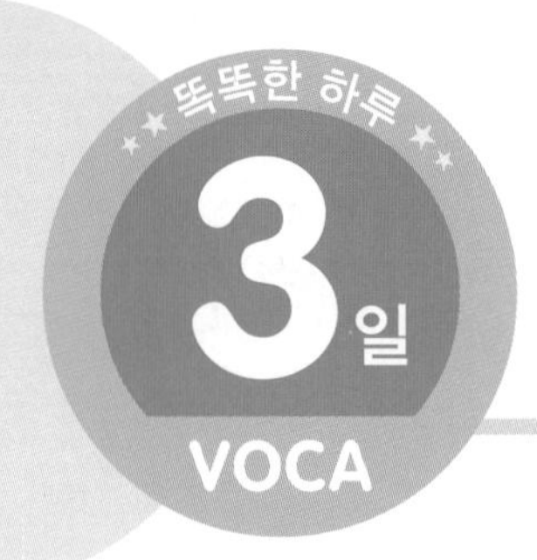

소파가 있어

There Is a Sofa

단어

재미있는 이야기로 오늘 배울 단어를 만나 보세요.

오늘 배울 단어를 듣고 따라 말한 후, 써 보세요.

sofa
소파

table
탁자

sink
싱크대

stove
가스레인지

toilet
변기

bath
욕조

위의 그림을 짚으며 찬트 해 보세요.

단어 쑥쑥

잘 듣고, 알맞은 단어에 동그라미 하세요.

1.

sink stove

2.

table sofa

3.

bath toilet

그림에 알맞은 단어와 우리말 뜻을 연결하세요.

1.

• • sink • • 싱크대

2.

• • toilet • • 소파

3.

• • sofa • • 변기

▶정답 24쪽

C 그림에 알맞은 단어를 찾아 동그라미 한 후 빈칸에 쓰세요.

1. 

2. 

3. 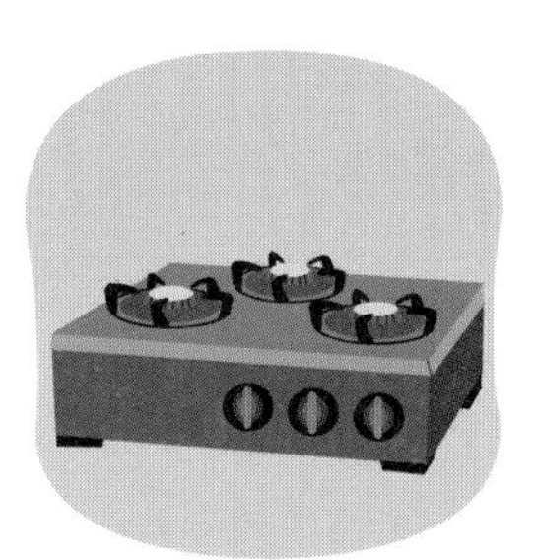

D 그림을 보고, 퍼즐을 완성하세요.

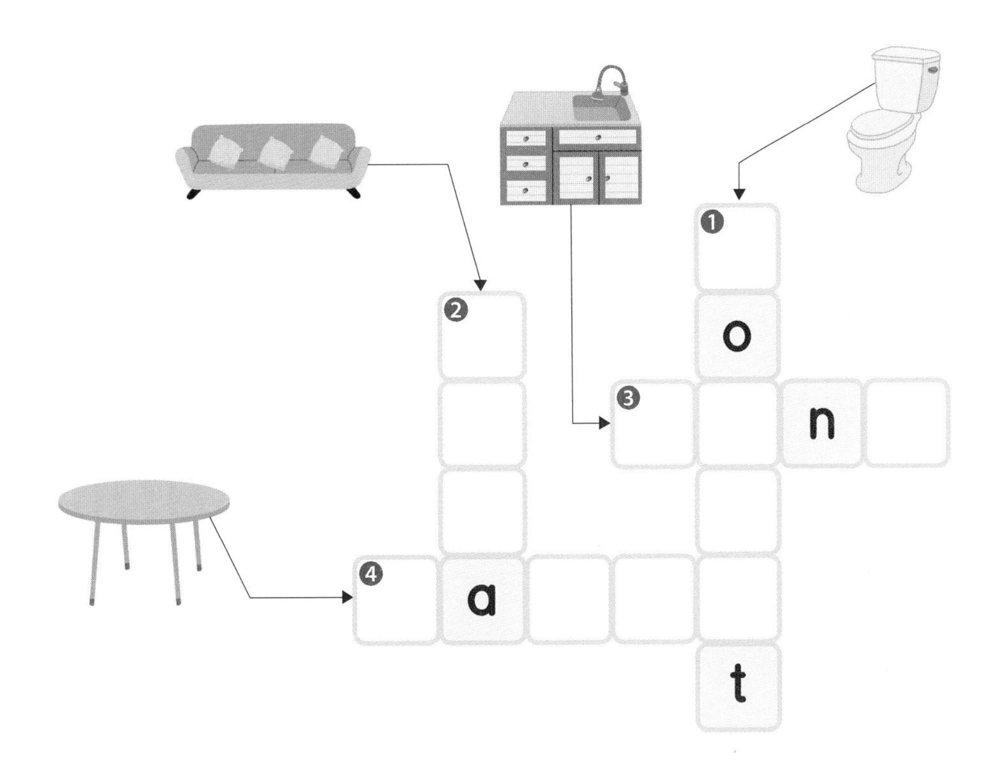

문장 쑥쑥

▶정답 24쪽

A 그림에 알맞은 단어를 골라 문장을 완성하세요.

1. 

There is a ______________.
(sofa / table)
소파가 있어.

2. 

There is a ______________.
(stove / toilet)
변기가 있어.

B 그림에 알맞은 단어를 보기에서 골라 문장을 완성하세요.

'There is a(n)+사물 이름.'은 '~가 있다.'는 표현이에요.

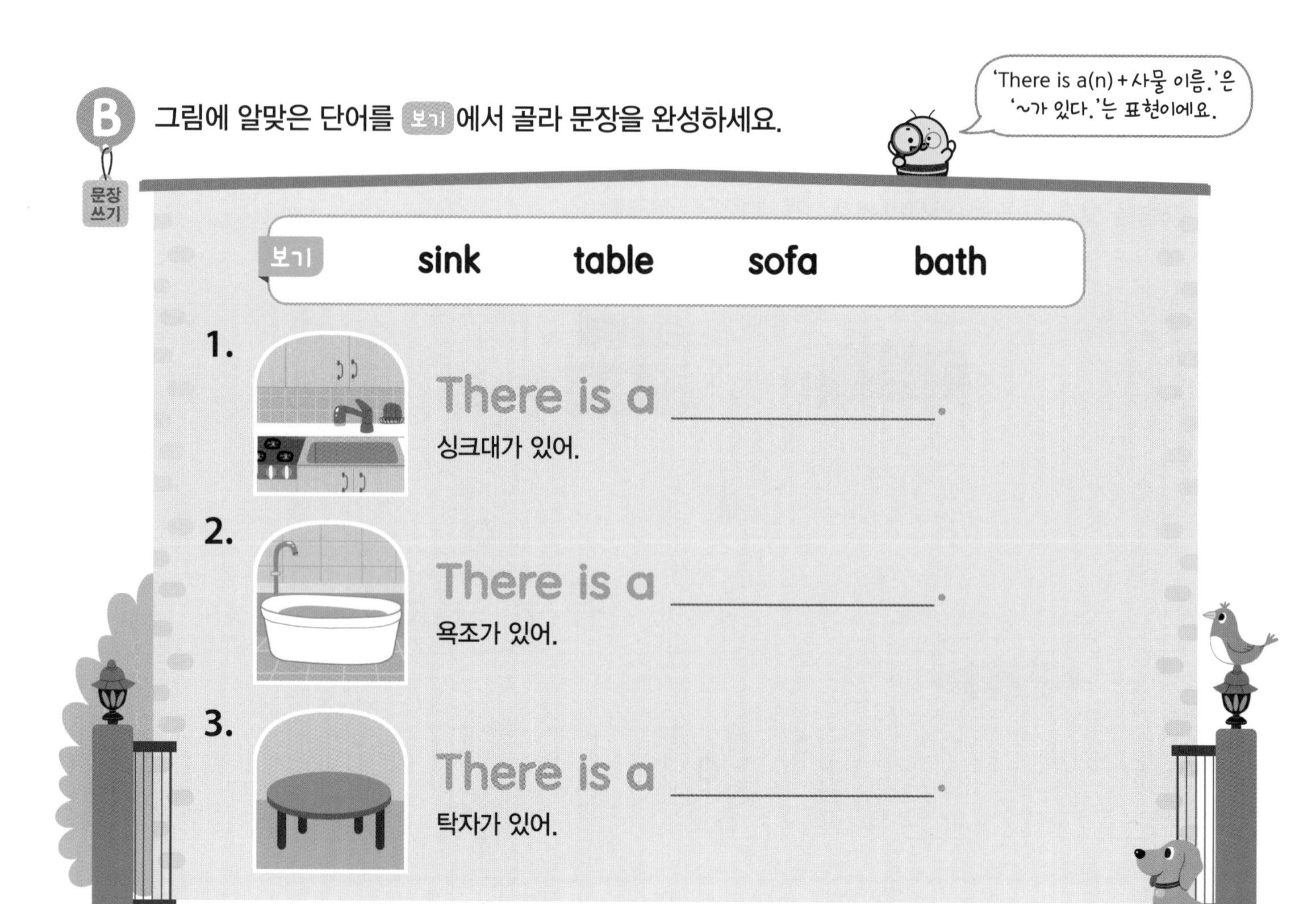

문장
쓰기
보기 sink table sofa bath
1. There is a ______________.
싱크대가 있어.
2. There is a ______________.
욕조가 있어.
3. There is a ______________.
탁자가 있어.

실력 쑥쑥

▶정답 24쪽

A 잘 듣고, 알맞은 단어에 동그라미 한 후 우리말 뜻을 쓰세요.

1. toilet / stove
뜻 ____________

2. sofa / sink
뜻 ____________

3. bath / table
뜻 ____________

4 주

B 그림에 알맞은 단어가 되도록 알파벳을 바르게 배열하여 쓰세요.

1. 
t l o t i e
____

2. 
k s n i
____

3. 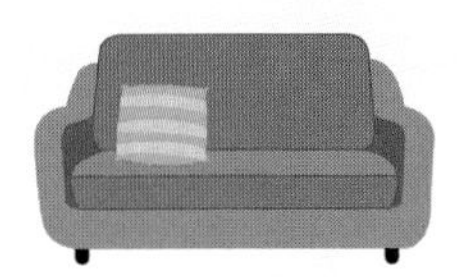
a s f o
____

4. 
a l t e b
____

◉ 단어를 듣고, 우리말 뜻을 말해 보세요.

너는 몇 시에 일어나니?

What Time Do You Get Up?

단어

재미있는 이야기로 오늘 배울 어구를 만나 보세요.

오늘 배울 어구를 듣고 따라 말한 후, 써 보세요.

get up
일어나다

go to school
학교에 가다

come home
집에 오다

do your homework
네 숙제를 하다

have a piano lesson
피아노 수업이 있다

go to bed
잠자리에 들다

위의 그림을 짚으며 챈트 해 보세요.

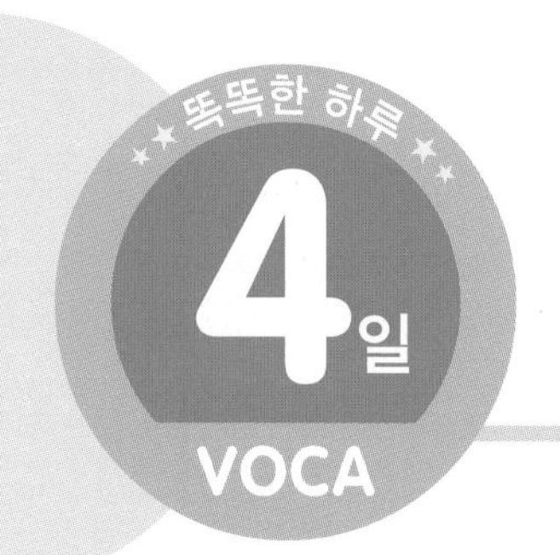

단어 쑥쑥

잘 듣고, 알맞은 어구에 동그라미 하세요.

어구 듣기

1. 

get up

go to school

2. 

do your homework

have a piano lesson

3. 

go to bed

come home

그림에 알맞은 어구를 연결하세요.

1. 

네 숙제를 하다

2. 

학교에 가다

- come home
- get up
- go to school
- do your homework

3. 

집에 오다

4. 

일어나다

▶정답 25쪽

C 그림에 알맞은 어구를 보기 에서 골라 쓰세요.

어구 쓰기

보기 go to school have a piano lesson get up

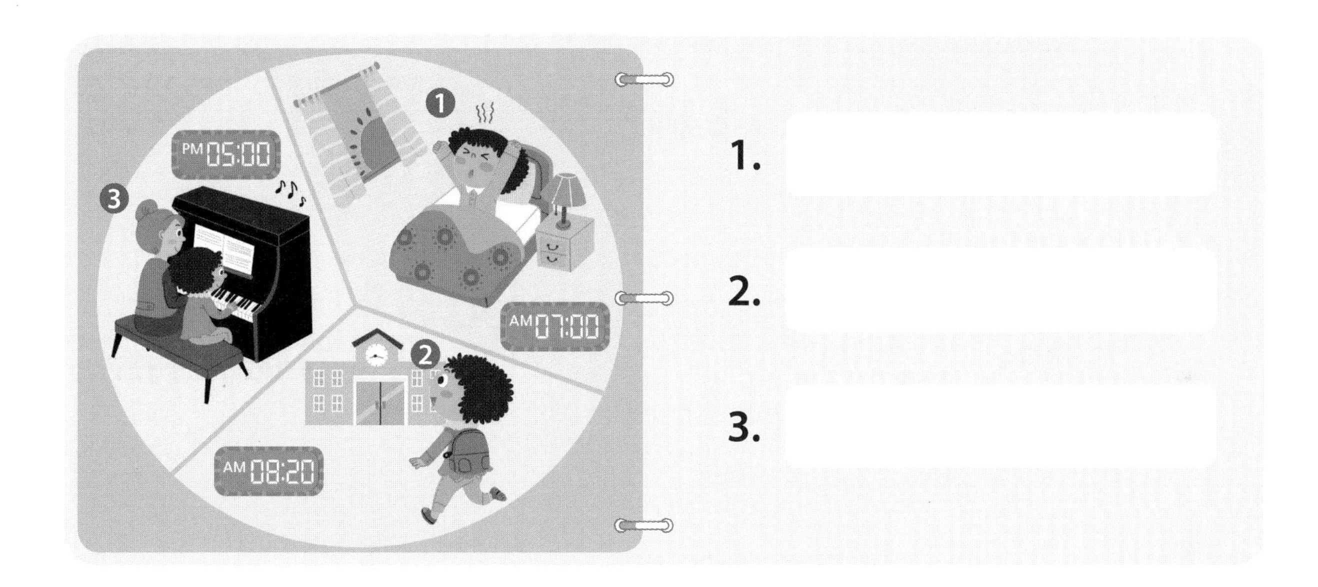

1. ______

2. ______

3. ______

D 잘 듣고, 그림에 알맞은 어구를 완성하세요.

어구 완성

1. 

h _ ve a p _ a _ o l _ s _ on

2. 

do yo _ r ho _ e _ ork

3. 

go to b _ _

4 주

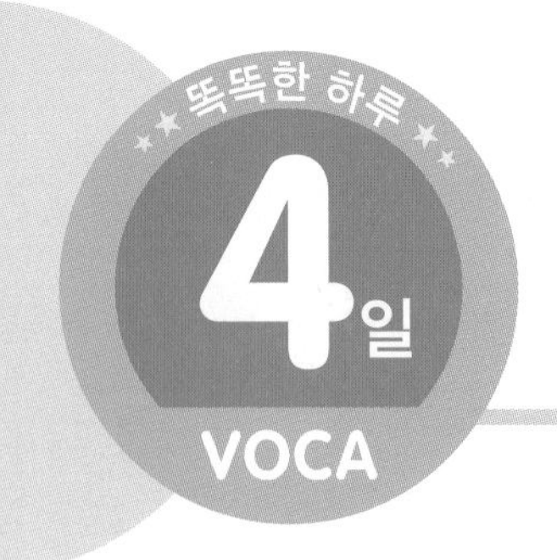

문장 쑥쑥

▶정답 25쪽

A 그림에 알맞은 어구를 골라 문장을 완성하세요.

문장 완성

1. What time do you ______________________?
(have a piano lesson / get up)
너는 몇 시에 일어나니?

2. 
What time do you ______________________?
(go to bed / do your homework)
너는 몇 시에 네 숙제를 하니?

B 그림에 알맞은 어구를 보기에서 골라 문장을 완성하세요.

특정한 일을 하는 시간을 물을 때는 'What time do you+동작을 나타내는 말?'로 해요.

문장 쓰기

보기	go to bed	go to school	come home

1. 
What time do you ______________________?
너는 몇 시에 학교에 가니?

2. 
What time do you ______________________?
너는 몇 시에 집에 오니?

3. 
What time do you ______________________?
너는 몇 시에 잠자리에 드니?

실력 쑥쑥

▶정답 25쪽

A 잘 듣고, 알맞은 어구에 동그라미 한 후 우리말 뜻을 쓰세요.

1. come home / go to school → 뜻
2. do your homework / get up → 뜻
3. have a piano lesson / go to bed → 뜻

B 그림에 알맞은 어구가 되도록 단어를 바르게 배열하여 쓰세요.

1. 

____
(to / go / school)

2. 

____
(homework / your / do)

3. 

____
(piano / a / have / lesson)

차곡차곡 복습!

◉ 단어나 어구를 듣고, 우리말 뜻을 말해 보세요.

4주

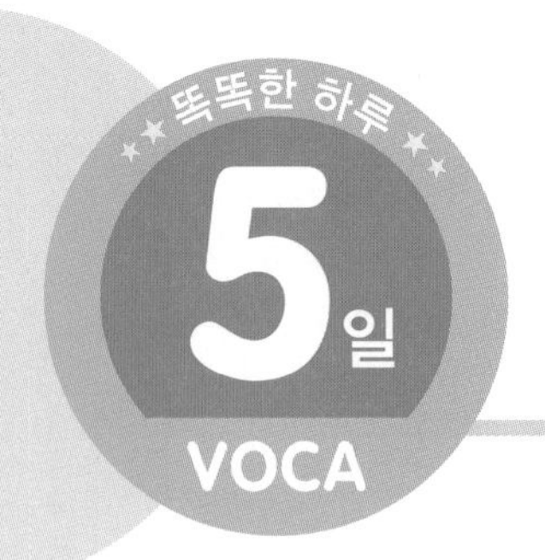

스페셜 SPECIAL VOCA

둘이 만나 새 단어로

복합어

재미있는 이야기로 오늘 배울 단어를 만나 보세요.

오늘 배울 단어를 들으며 따라 말해 보세요.

위의 그림을 짚으며 찬트 해 보세요.

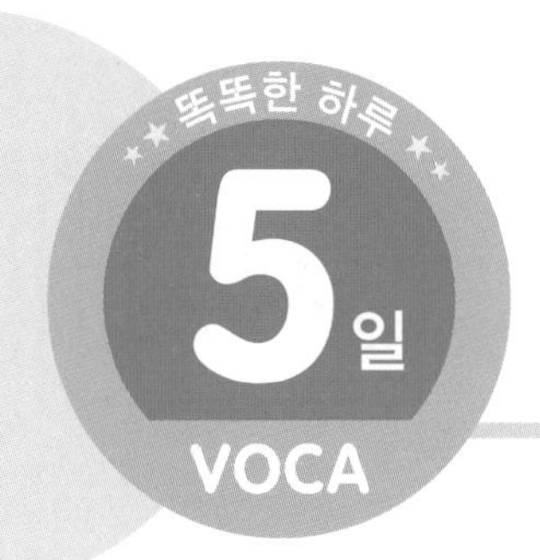

단어 쑥쑥

A 잘 듣고, 알맞은 단어를 골라 기호를 쓰세요.

ⓐ toothbrush ⓑ snowman ⓒ sunglasses

1. 

2. 

3. 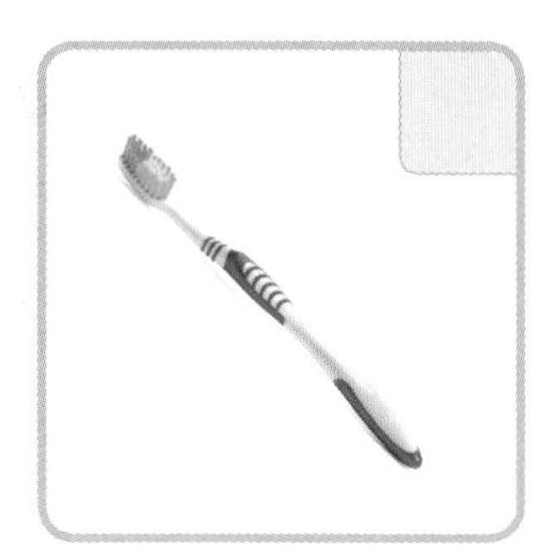

B 그림에 알맞은 단어를 연결하세요.

의미 연결

1. 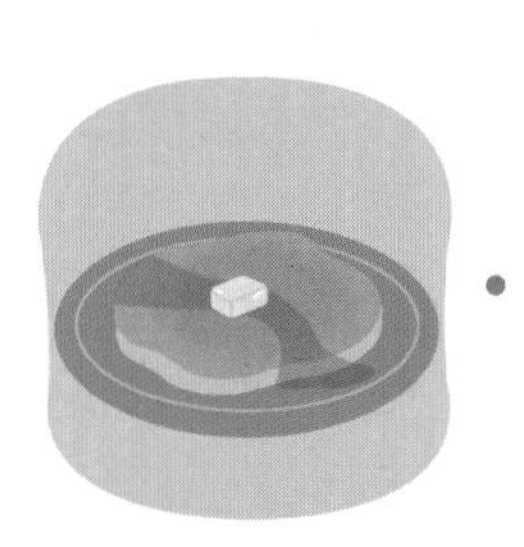
팬케이크

2. 
선글라스

- pancake
- snowman
- toothbrush
- sunglasses

3. 
눈사람

4. 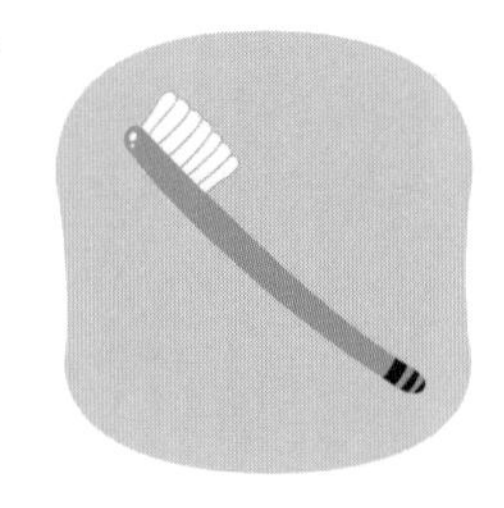
칫솔

▶정답 26쪽

그림에 알맞은 단어를 보기 에서 골라 쓰세요.

단어 쓰기

보기 toothbrush snowman sunglasses pancake

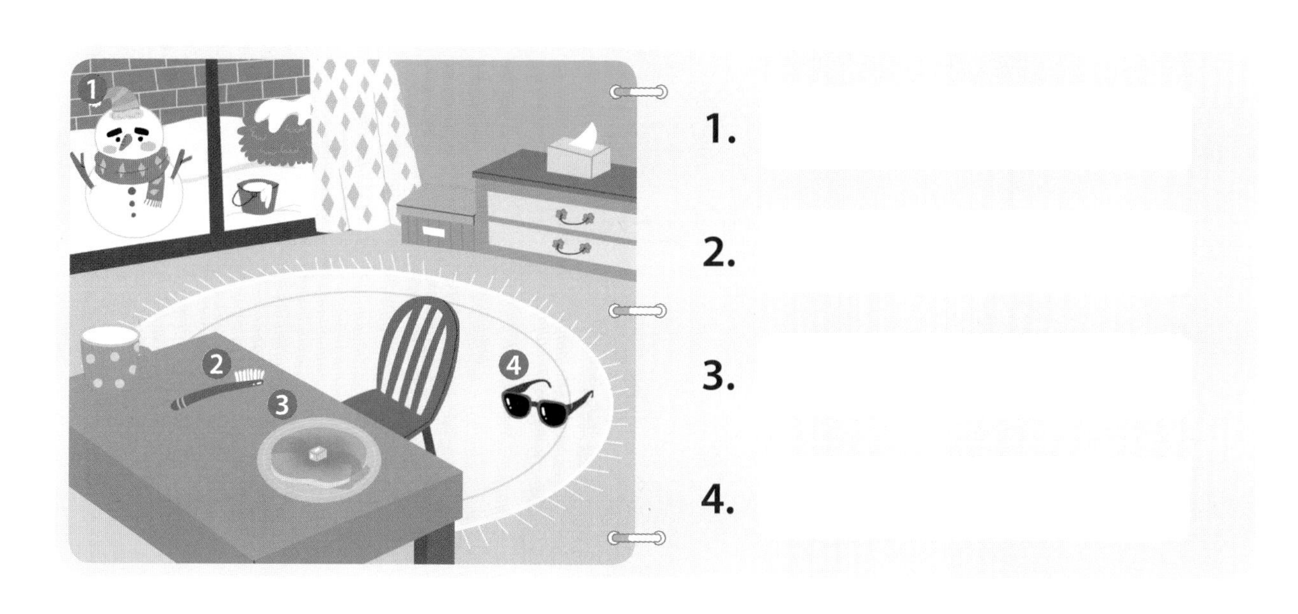

1.

2.

3.

4.

잘 듣고, 그림에 알맞은 단어를 완성하세요.

단어 완성

4

1.

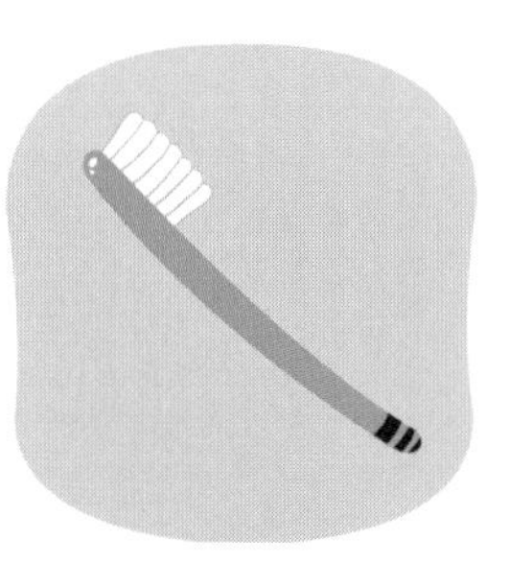

to☐thb☐ush

2.

s☐ow☐an

3.

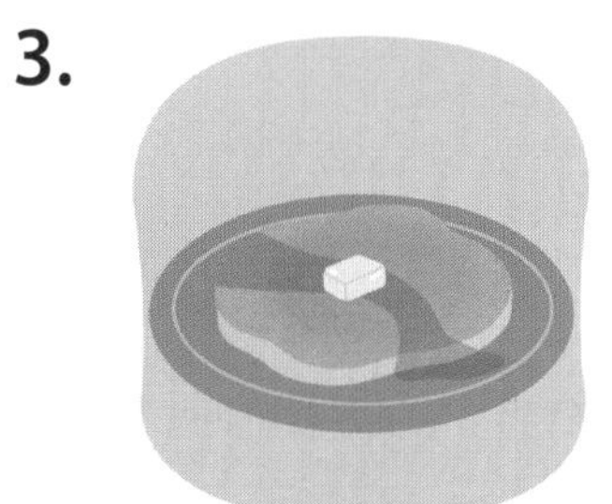

p☐nca☐e

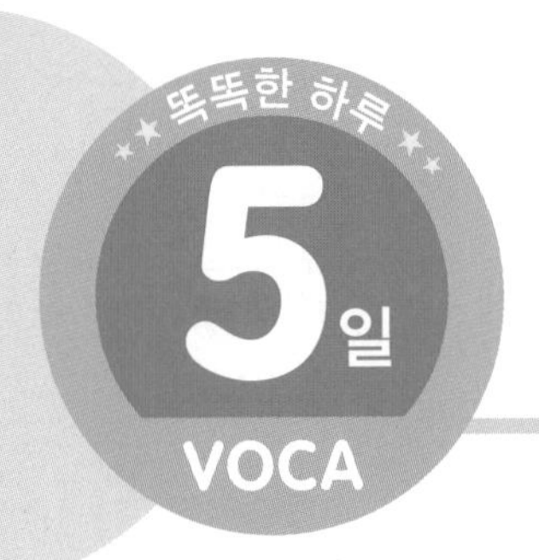

단어 쑥쑥 플러스

▶정답 26쪽

◉ 두 단어를 연결하여 새 단어를 만든 후, 알맞은 그림과 연결하고 단어를 쓰세요.

▶정답 26쪽

A 잘 듣고, 알맞은 단어에 동그라미 한 후 우리말 뜻을 쓰세요.

1. sunglasses / toothbrush
뜻 ____________

2. snowman / pancake
뜻 ____________

3. toothbrush / sunglasses
뜻 ____________

B 그림에 알맞은 단어가 되도록 알파벳을 바르게 배열하여 쓰세요.

1. 
k a e p c n a

2. 
n s m o n w a

3. 
egsaslusns

4. 
srhotthuob

◉ 단어나 어구를 듣고, 우리말 뜻을 말해 보세요.

창의 · 융합 · 코딩 Brain Game Zone

배운 내용을 떠올리며 말판 놀이를 해 보세요.

START
1. 어구를 읽고 알맞은 그림에 동그라미 하세요.
have a piano lesson
10. 그림에 알맞은 단어를 완성하세요.
ba__hr__om
9. 그림을 보고 알맞은 단어에 동그라미 하세요.
table
sofa
FINISH
8. 복합어가 되도록 두 단어를 연결하세요.
sun
brush
tooth
glasses
7. 그림을 보고 알파벳을 바르게 배열하여 단어를 쓰세요.
ehabc
→ ________

정답 27쪽

2. 그림을 보고 알파벳을 바르게 배열하여 단어를 쓰세요.

nmwanso

→ ________

3. 그림과 단어가 일치하면 ○ 표, 일치하지 않으면 × 표 하세요.

yard

4. 그림에 알맞은 어구를 완성하세요.

g__ to ___d

5. 단어를 읽고 알맞은 그림에 동그라미 하세요.

museum

6. 그림과 단어가 일치하면 ○ 표, 일치하지 않으면 × 표 하세요.

stove

11. 단어를 읽고 알맞은 우리말 뜻과 연결하세요.

market •	• 농장
farm •	• 시장

12. 그림을 보고 알맞은 어구에 동그라미 하세요.

get up

go to school

4 주

Brain Game Zone 창의 · 융합 · 코딩

A

도진이가 단어에 필요한 알파벳 카드를 잃어버렸어요. 그림에 알맞은 단어를 완성한 후, 잃어버린 알파벳 카드가 몇 장씩 필요한지 쓰세요.

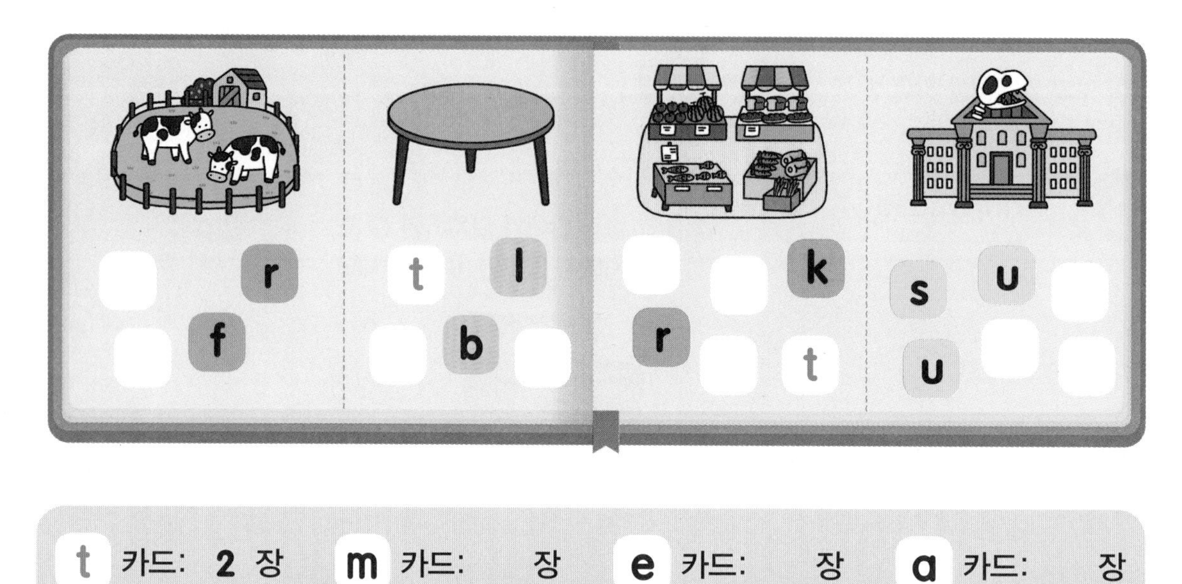

t 카드: 2 장 m 카드: ___ 장 e 카드: ___ 장 a 카드: ___ 장

B

두 개의 단어 순서대로 표의 칸을 따라가면 미로를 탈출할 수 있어요. 그림에 알맞은 단어를 따라가며 미로를 탈출한 후, 단어와 우리말 뜻을 쓰세요.

출발	b	a	t
g	n	y	h
a	e	t	도착
r	d	i	l

1\.

단어: ____________

뜻: ____________

2\.

단어: ____________

뜻: ____________

C 라비가 미로에서 길을 잃었어요. 미로를 빠져나가며 만나는 그림으로 복합어를 만든 후, 그림에 알맞은 단어를 쓰세요.

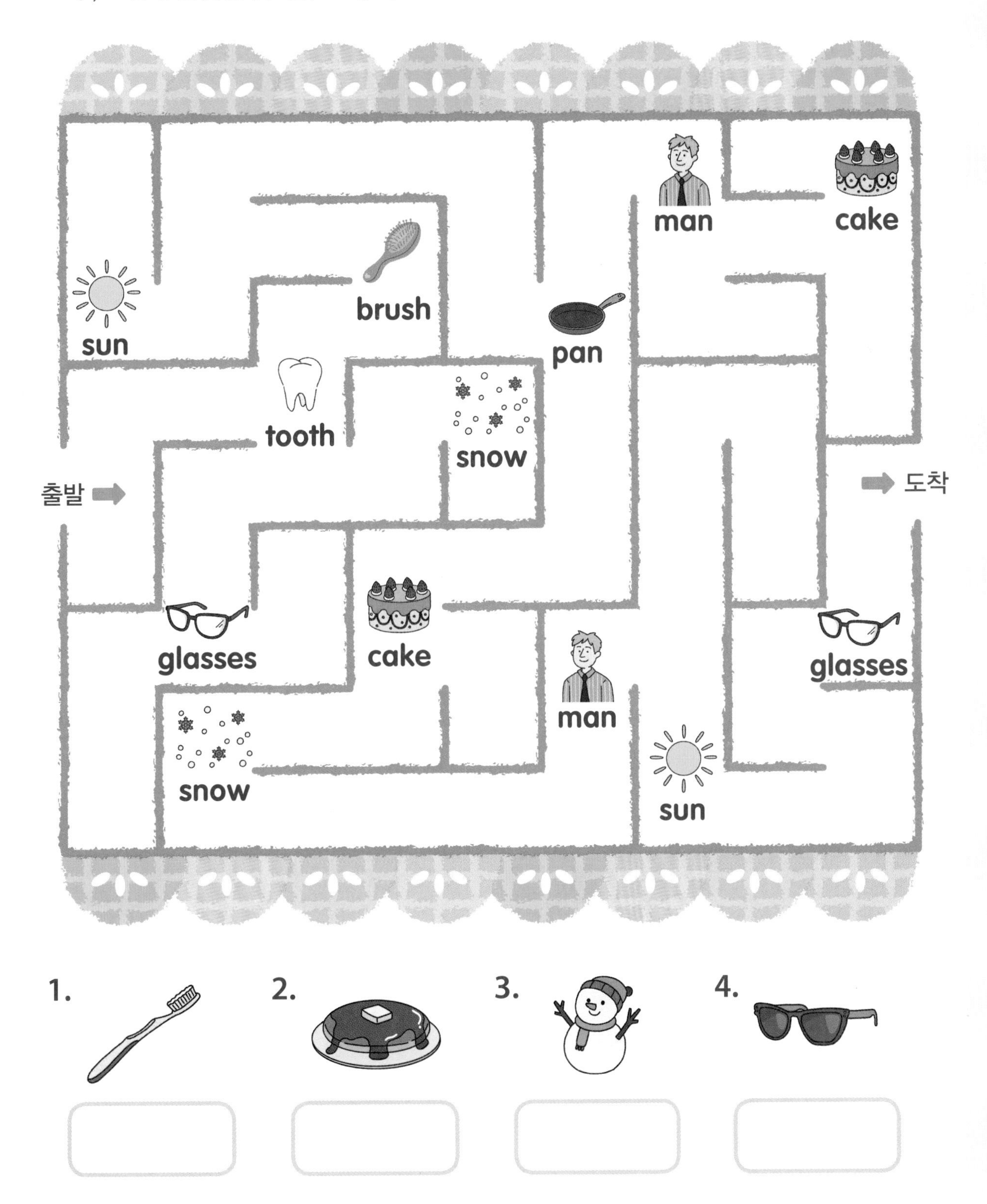

1.

2.

3.

4.

D 유주의 태블릿이 바이러스에 감염되어 필요 없는 단어가 화면에 나타났어요. 단어를 골라 그림에 알맞은 어구를 쓴 후, 바이러스가 숨겨 둔 단어를 찾아 동그라미 하세요.

1. ____________

2. ____________

3. ____________

E 쪼꼬가 암호를 써 놓은 쪽지를 발견했어요. 단서와 힌트를 참고하여 암호를 풀어 단어와 우리말 뜻을 쓰세요.

단서

1	2	3	4	5	6	7	8	9	10	11	12
a	b	c	e	f	h	i	l	m	o	r	t

힌트

5, 1, 11, 9

단어: farm

뜻: 농장

1. 2, 4, 1, 3, 6

단어: ____________

뜻: ____________

2. 12, 10, 7, 8, 4, 12

단어: ____________

뜻: ____________

F 알파벳들이 어떤 순서대로 움직이고 있어요. 힌트 를 참고하여 규칙을 찾아 빈칸을 채워 쓰고, 알맞은 그림에 동그라미 하세요.

힌트

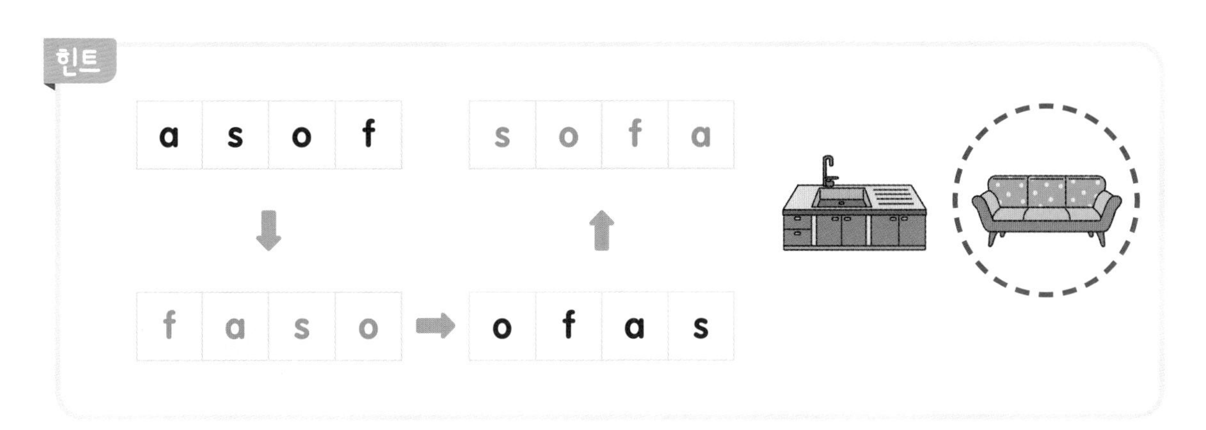

1.

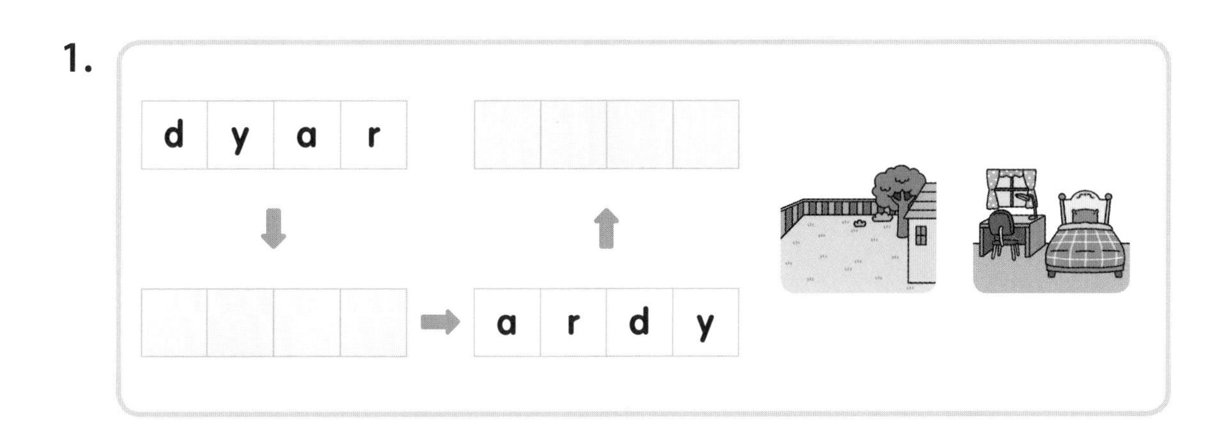

2.

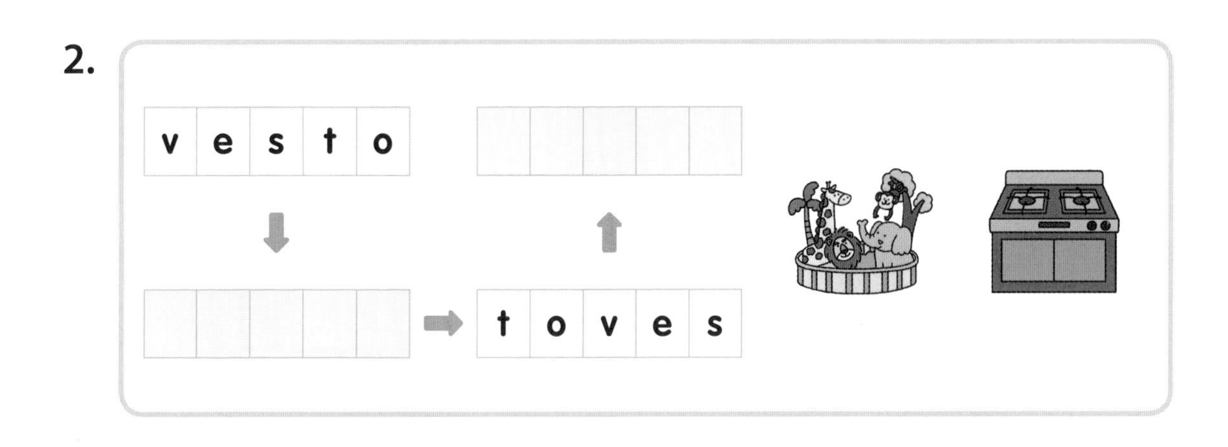

4주 누구나 100점 TEST

1 어구에 알맞은 그림을 고르세요.

have a piano lesson

① 
② 
③ 
④ 

2 그림에 알맞은 단어를 고르세요.

① table　　② stove
③ toilet　　④ sofa

3 그림에 없는 단어를 고르세요.

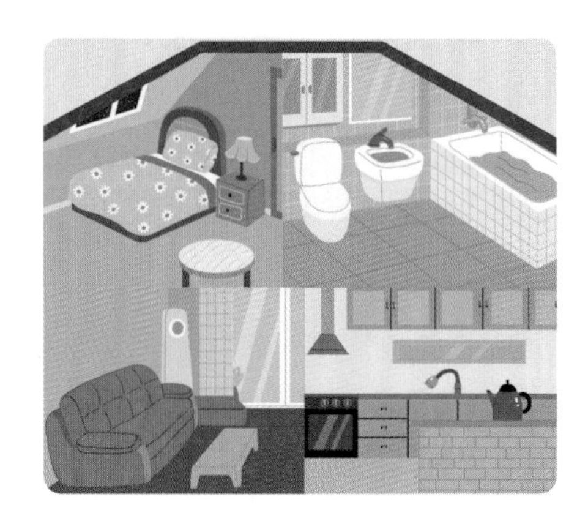

① kitchen　　② living room
③ bathroom　　④ yard

4 그림과 단어가 일치하지 않는 것을 고르세요.

① 
market

② 
zoo

③ 
farm

④ 
museum

▶정답 28쪽

5 그림에 알맞은 단어를 보기 에서 골라 기호를 쓰세요.

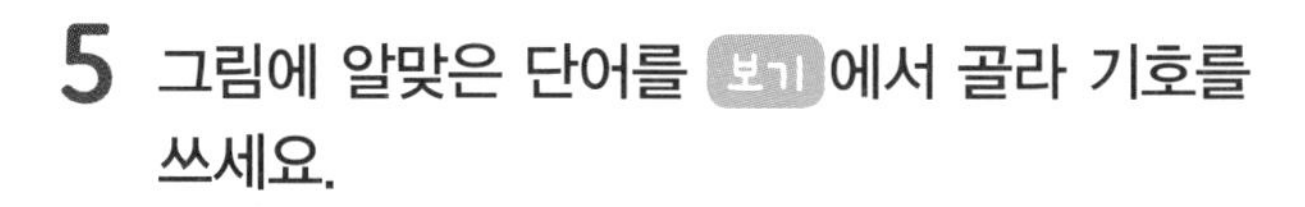

보기 ⓐ sink ⓑ sofa ⓒ bath

(1) 

(2) 

6 문장의 빈칸에 알맞은 단어를 고르세요.

This is the ________.

① bedroom ② garden

③ yard ④ kitchen

7 그림에 알맞은 단어를 골라 쓰세요.

(park / market)

8 그림에 알맞은 단어가 되도록 알파벳을 바르게 배열하여 쓰세요.

(1) ____________

(a n m o s n w)

(2) ____________

(h s b t r o h o t u)

4 주

Phonics Words List

읽을 수 있는 단어에 ✓표 해 보세요.

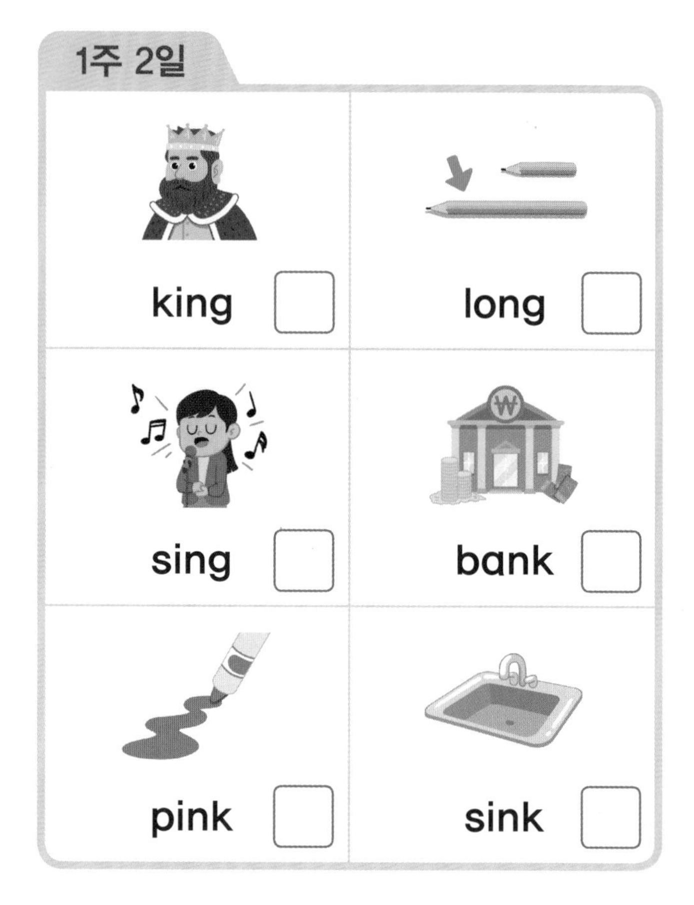

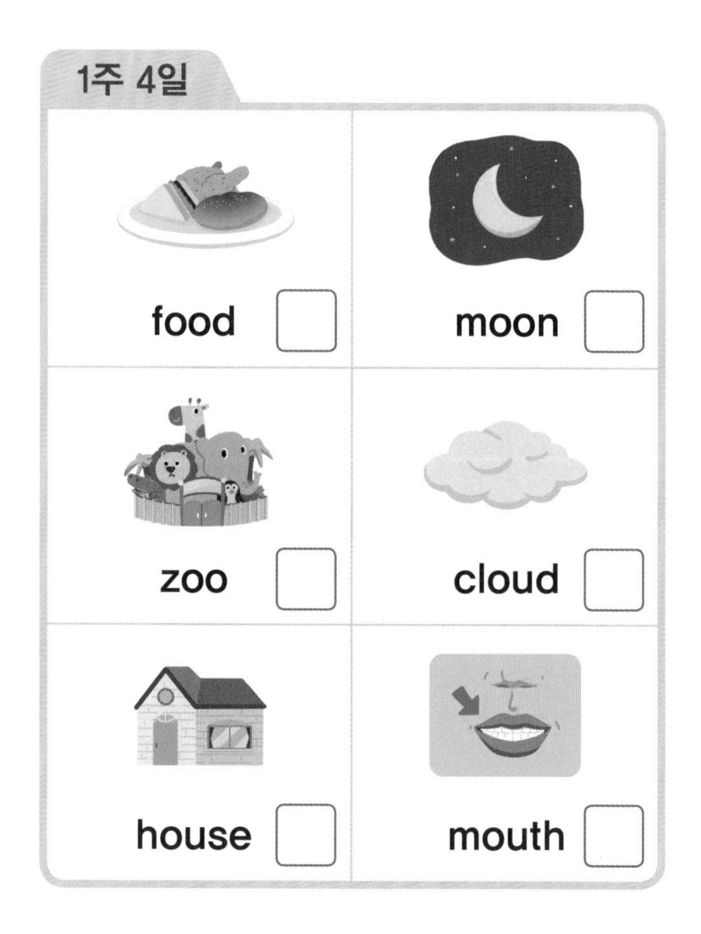

Words List

단어나 어구를 읽은 후 뜻을 기억하고 있는 것에 ✓표 해 보세요.

2주 1일

Korea ☐	the U.S. ☐
France ☐	China ☐
Brazil ☐	Australia ☐

2주 2일

fried rice ☐	beef steak ☐
potato pizza ☐	noodles ☐
fruit salad ☐	apple juice ☐

2주 3일

sweet ☐	salty ☐
sour ☐	spicy ☐
delicious ☐	fresh ☐

2주 4일

go to the restroom ☐	take a picture ☐
use the pencil ☐	watch TV ☐
drink some juice ☐	bring my dog ☐

2주 5일

dry ☐	wet ☐
hot ☐	cold ☐
clean ☐	dirty ☐

Words List

단어나 어구를 읽은 후 뜻을 기억하고 있는 것에 ✓표 해 보세요.

3주 1일

phone ☐	brush ☐
crayon ☐	bottle ☐
textbook ☐	balloon ☐

3주 2일

camping ☐	swimming ☐
fishing ☐	shopping ☐
hiking ☐	skating ☐

3주 3일

Korean ☐	English ☐
math ☐	science ☐
P.E. ☐	art ☐

3주 4일

read books ☐	speak English ☐
study math ☐	make robots ☐
play sports ☐	draw pictures ☐

3주 5일

teach ☐	learn ☐
throw ☐	catch ☐
work ☐	play ☐

4주 1일

zoo	park
museum	beach
farm	market

4주 2일

bedroom	living room
kitchen	bathroom
garden	yard

4주 3일

sofa	table
sink	stove
toilet	bath

4주 4일

get up	go to school
come home	do your homework
have a piano lesson	go to bed

4주 5일

sunglasses	toothbrush
pancake	snowman

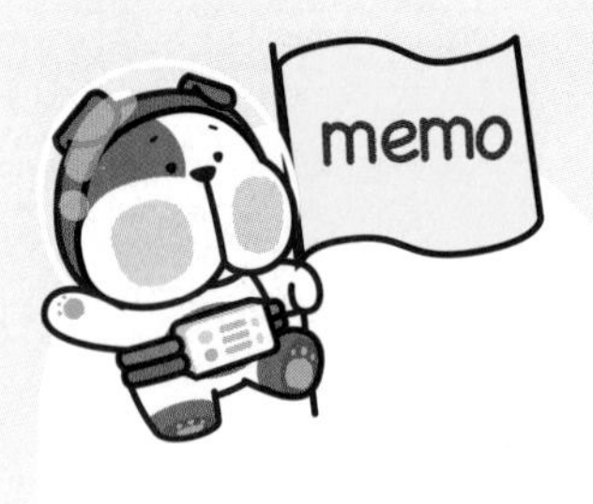
memo

1
2
3
4
5
6
7
8
9
10
11
12
13
14
15
16

mother	brother	photo	phone
long	king	white	whale
sink	pink	bank	sing
tree	green	tail	rain

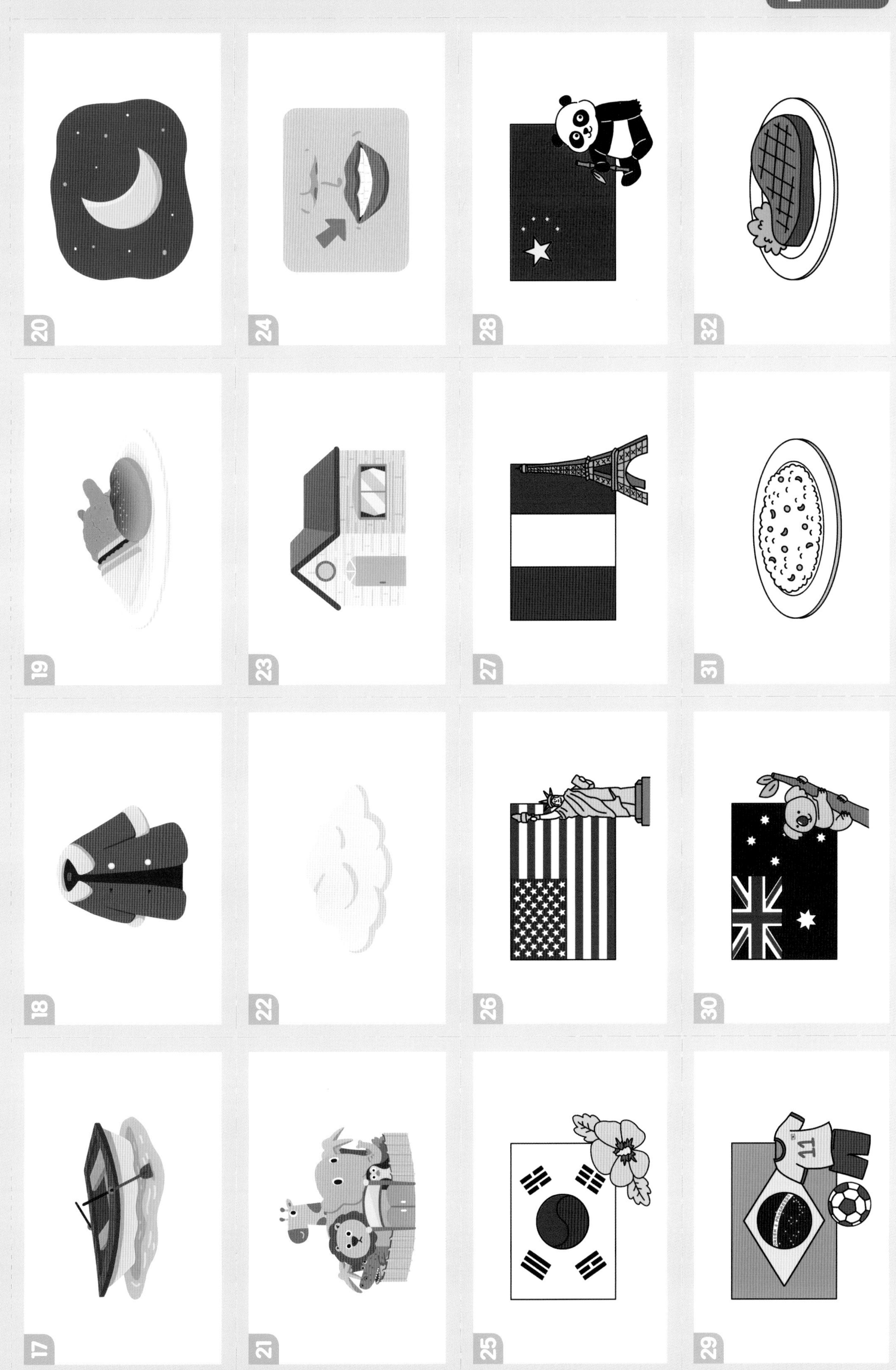
20
24
28
32
19
23
27
31
18
22
26
30
17
21
25
29

moon	food	coat	boat
mouth	house	cloud	zoo
China	France	the U.S.	Korea
beef steak	fried rice	Australia	Brazil

36
40
44
48
35
39
43
47
34
38
42
46
33
37
41
45

apple juice	fruit salad	noodles	potato pizza
spicy	sour	salty	sweet
take a picture	go to the restroom	fresh	delicious
bring my dog	drink some juice	watch TV	use the pencil

49
50
51
52
53
54
55
56
57
58
59
60
61
62
63
64
English
ABC

cold	hot	wet	dry
brush	phone	dirty	clean
balloon	textbook	bottle	crayon
shopping	fishing	swimming	camping

65
66
67
ㄱ ㄴ ㄷ ㄹ
68
ABC
69
2/3 ÷ 7 ×
70
71
72
73
74
ABC
ABC
75
76
77
78
79
80

English

Korean

skating

hiking

art

P.E.

science

math

make robots

study math

speak English

read books

learn

teach

draw pictures

play sports

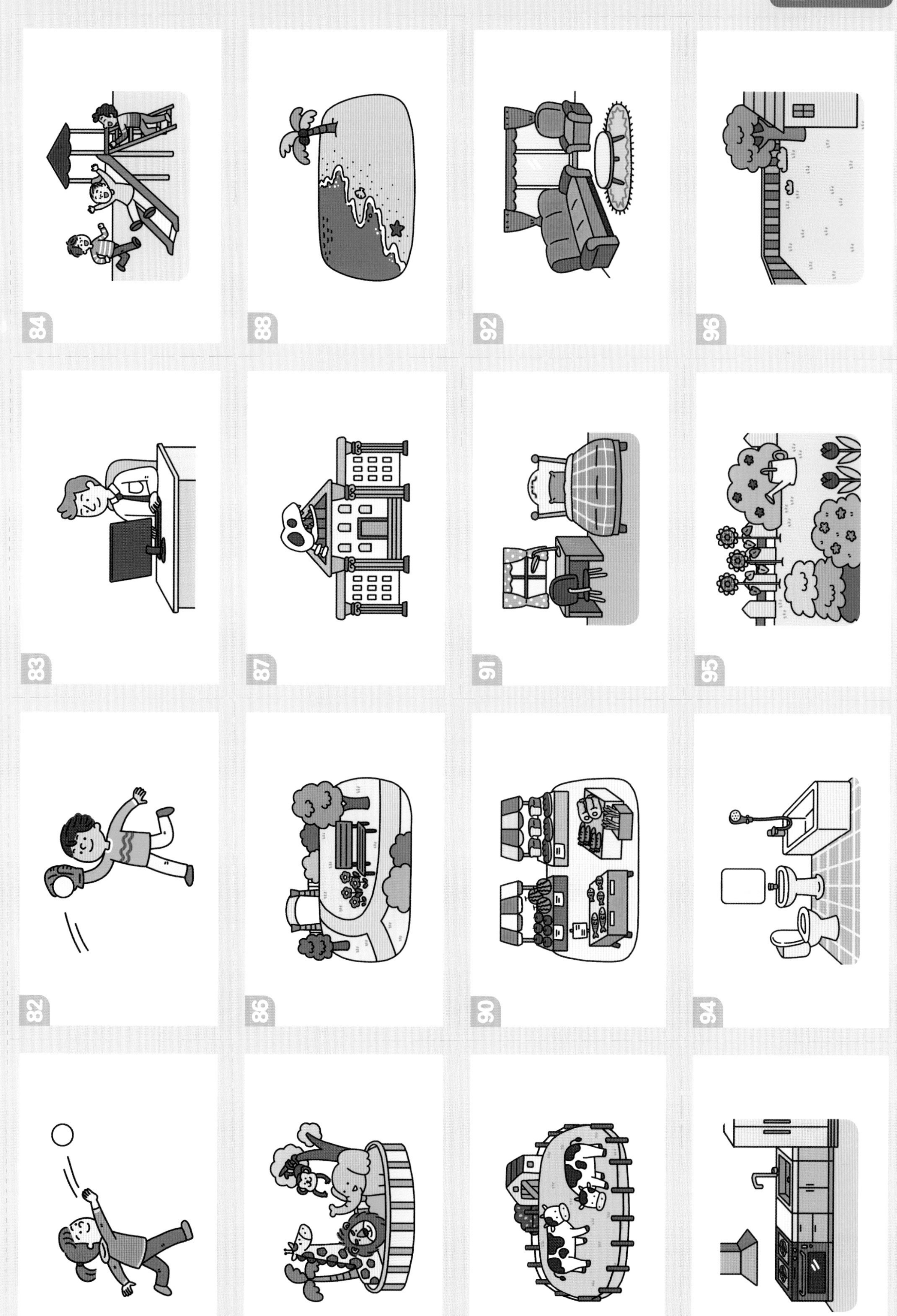
81
82
83
84
85
86
87
88
89
90
91
92
93
94
95
96

play	work	catch	throw
beach	museum	park	zoo
living room	bedroom	market	farm
yard	garden	bathroom	kitchen

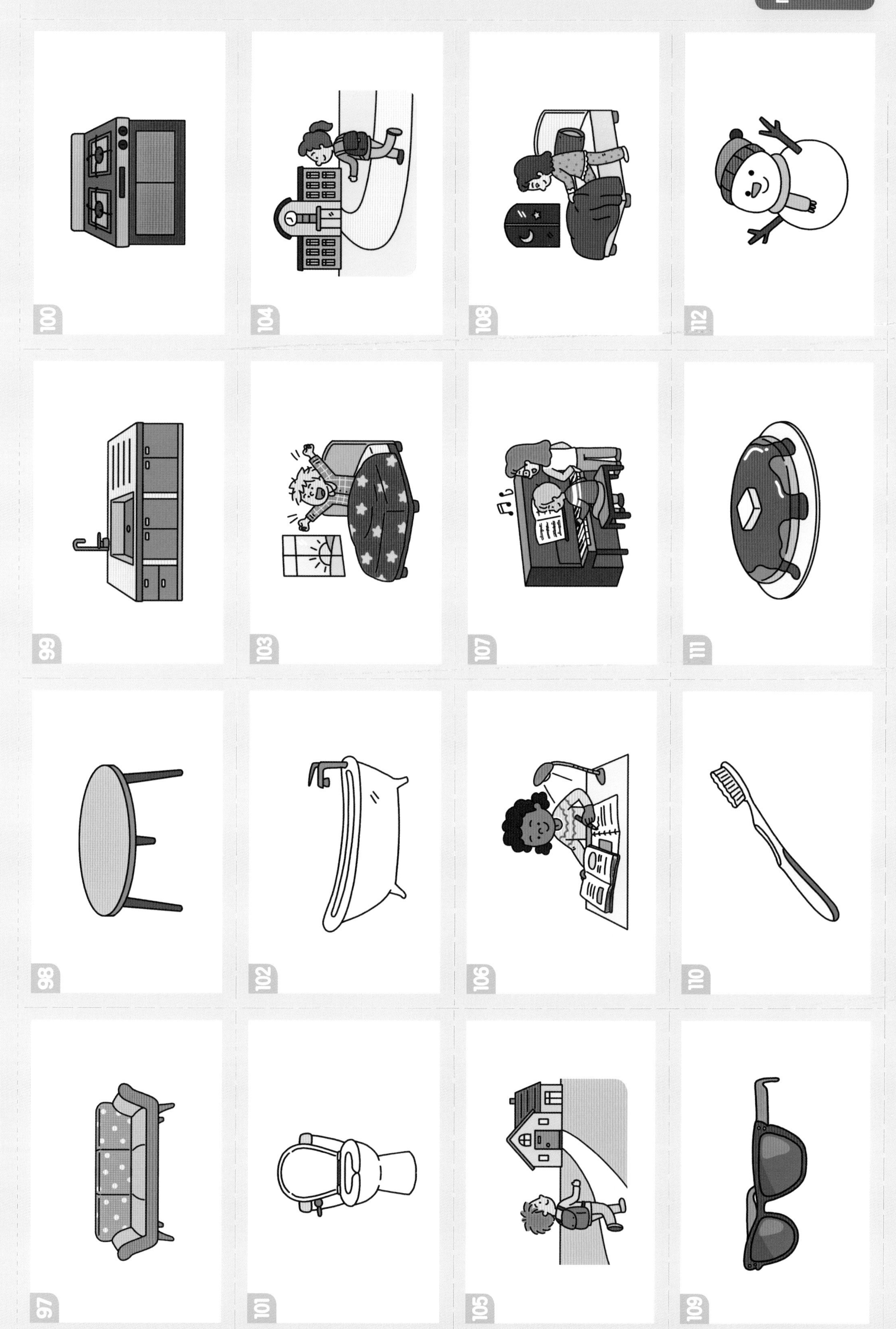
97
98
99
100
101
102
103
104
105
106
107
108
109
110
111
112

stove	sink	table	sofa
go to school	get up	bath	toilet
go to bed	have a piano lesson	do your homework	come home
snowman	pancake	toothbrush	sunglasses

나는 그 누구보다도 실수를 많이 한다.
그리고 그 실수들 대부분에서
특허를 받아낸다.

I make more mistakes than anybody
and get a patent from those mistakes.

토마스 에디슨

실수는 '이제 난 안돼, 끝났어'라는 의미가 아니에요.
성공에 한 발자국 가까이 다가갔으니, 더 도전해보면 성공할 수 있다는
메시지랍니다. 그러니 실수를 두려워하지 마세요.

매일매일
쌓이는
영어 기초력

똑똑한

하루 VOCA

정답

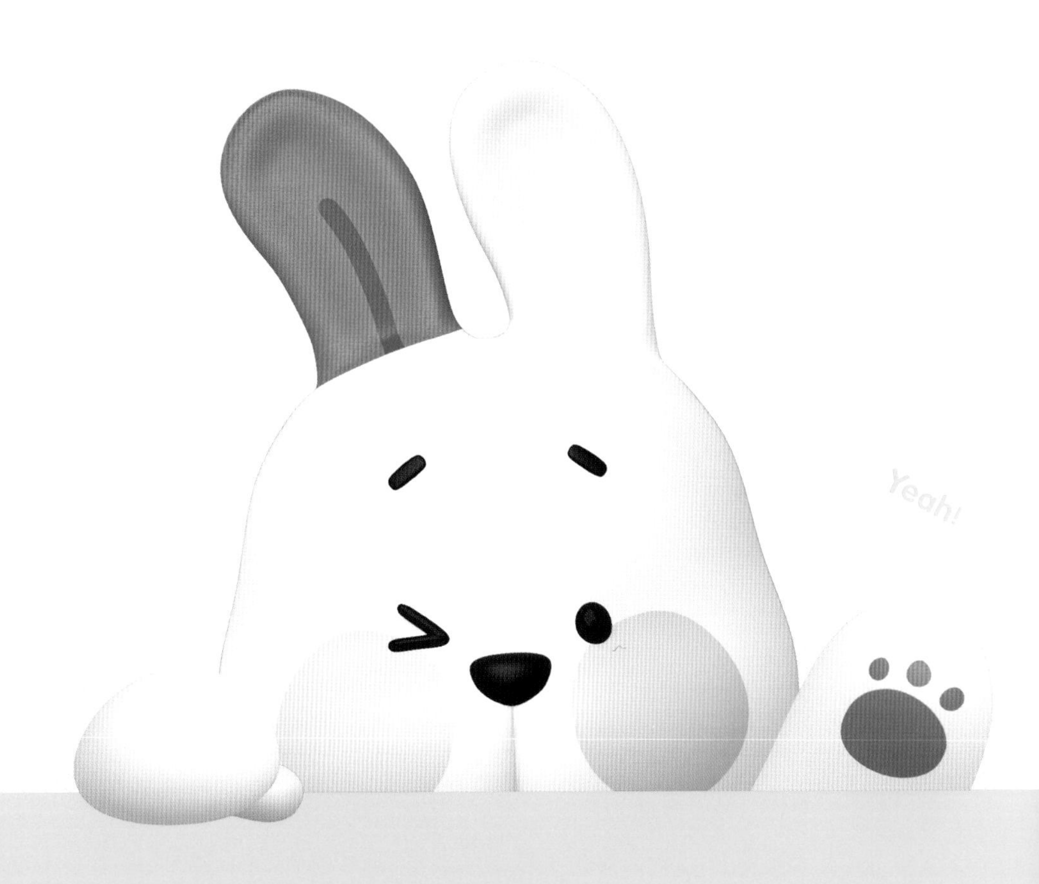

5학년 영어

3A

파닉스 + 단어

천재교육

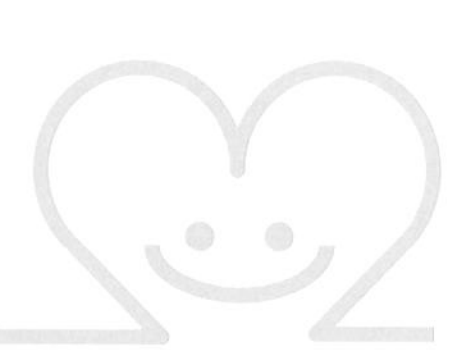

정답

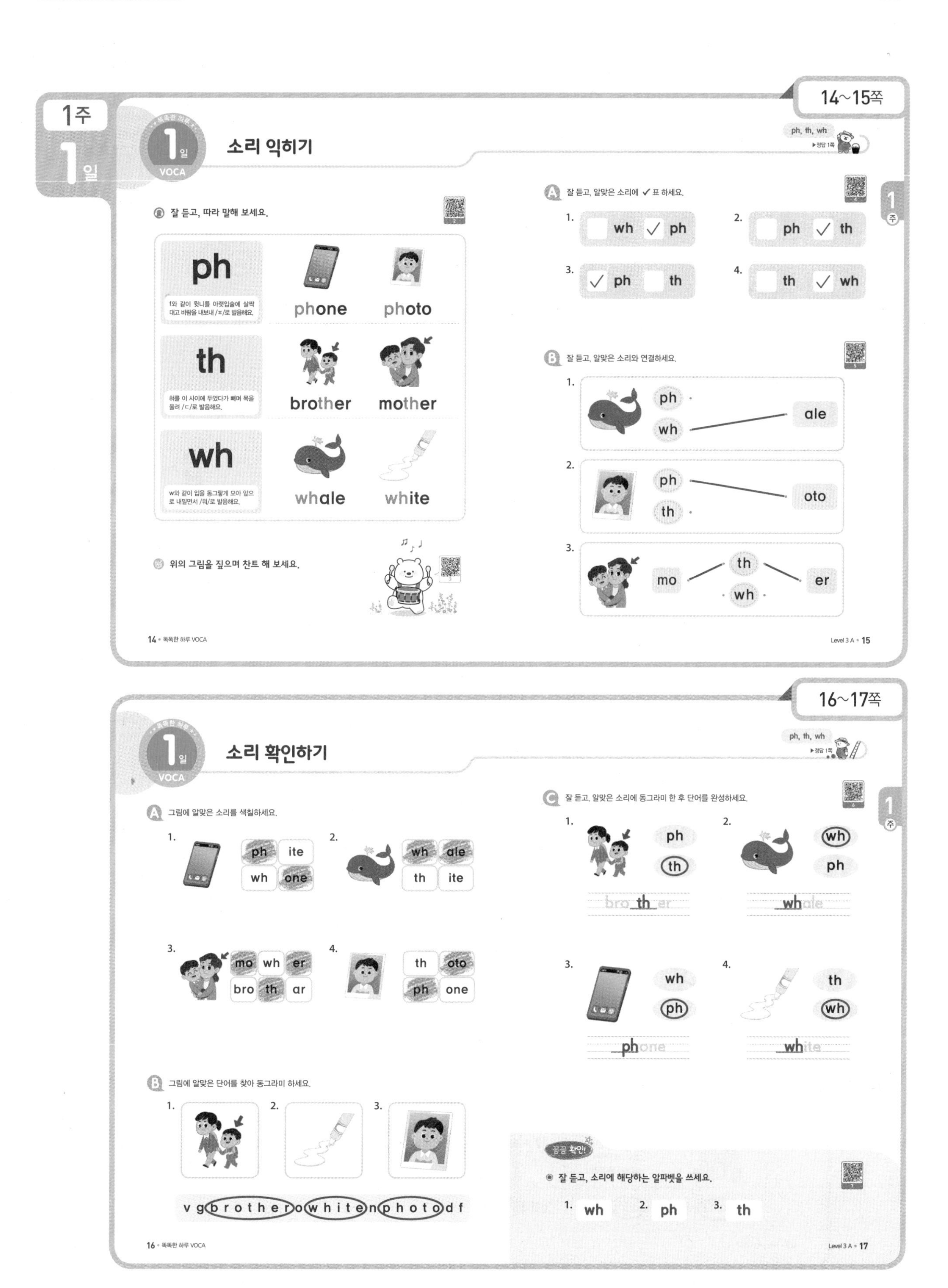

1주 1일

14~15쪽

1일 VOCA 소리 익히기

잘 듣고, 따라 말해 보세요.

ph	phone	photo
th	brother	mother
wh	whale	white

위의 그림을 짚으며 챈트 해 보세요.

ph, th, wh ▶정답 1쪽

A 잘 듣고, 알맞은 소리에 ✓ 표 하세요.

1. wh ✓ph
2. ph ✓th
3. ✓ph th
4. th ✓wh

B 잘 듣고, 알맞은 소리와 연결하세요.

1. wh — ale
2. ph — oto
3. mo — th — er

14 • 똑똑한 하루 VOCA

Level 3 A • 15

16~17쪽

1일 VOCA 소리 확인하기

A 그림에 알맞은 소리를 색칠하세요.

1. ph, one
2. wh, ale
3. mo, th, er
4. ph, oto

B 그림에 알맞은 단어를 찾아 동그라미 하세요.

v g (b r o t h e r) o (w h i t e) n (p h o t o) d f

ph, th, wh ▶정답 1쪽

C 잘 듣고, 알맞은 소리에 동그라미 한 후 단어를 완성하세요.

1. (th) bro**th**er
2. (wh) **wh**ale
3. (ph) **ph**one
4. (wh) **wh**ite

꼼꼼 확인!

잘 듣고, 소리에 해당하는 알파벳을 쓰세요.

1. wh 2. ph 3. th

16 • 똑똑한 하루 VOCA

Level 3 A • 17

똑똑한 하루
VOCA

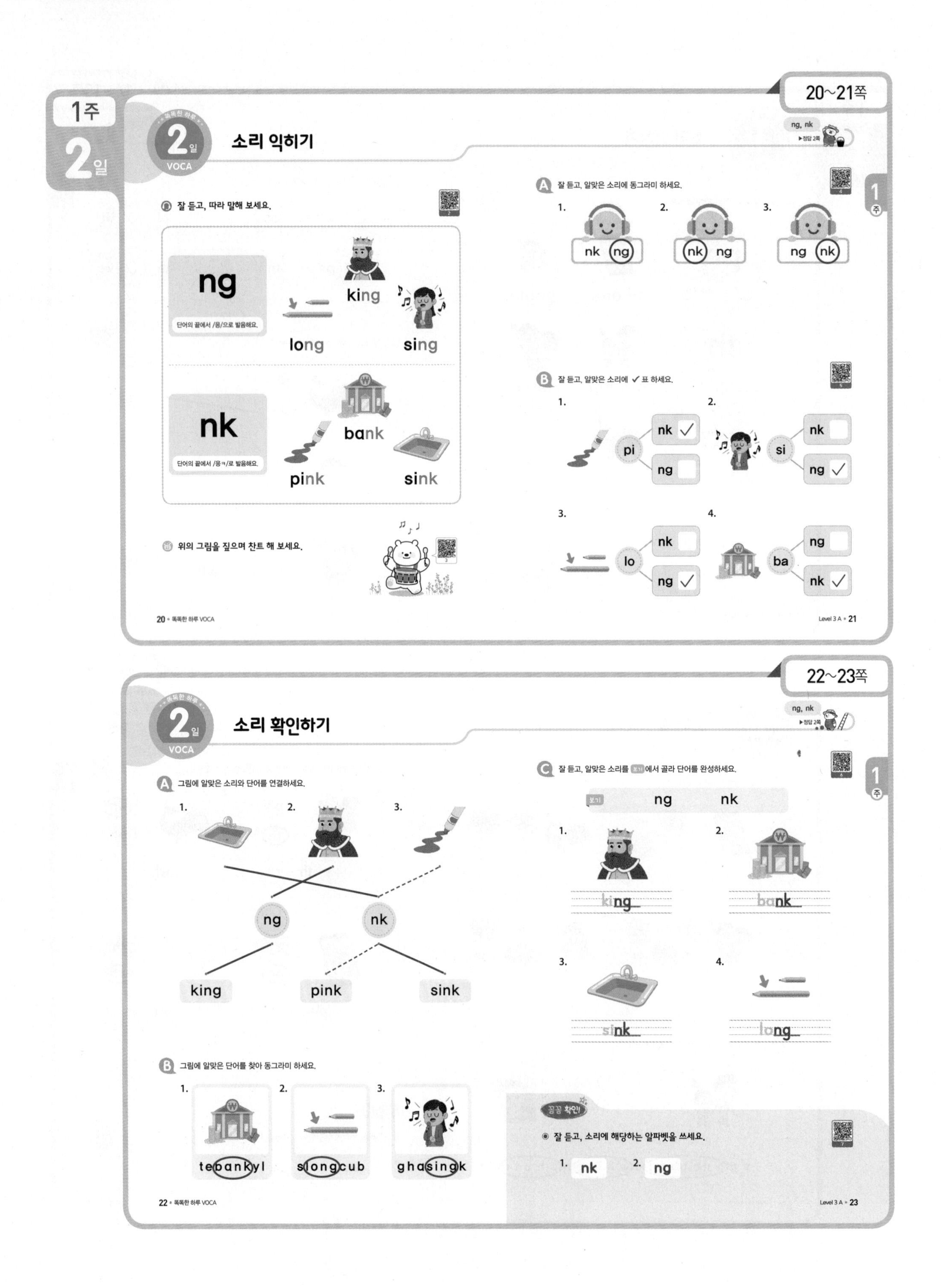
1주
2일
20~21쪽
소리 익히기
ng, nk
▶정답 2쪽
잘 듣고, 따라 말해 보세요.
ng
단어의 끝에서 /응/으로 발음해요.
king
long
sing
nk
단어의 끝에서 /응ㅋ/로 발음해요.
bank
pink
sink
위의 그림을 짚으며 찬트 해 보세요.
잘 듣고, 알맞은 소리에 동그라미 하세요.
1. nk ng
2. nk ng
3. ng nk
잘 듣고, 알맞은 소리에 ✓표 하세요.
1. pi nk ✓ ng
2. si nk ng ✓
3. lo nk ng ✓
4. ba ng nk ✓
20 • 똑똑한 하루 VOCA
Level 3 A • 21
22~23쪽
소리 확인하기
그림에 알맞은 소리와 단어를 연결하세요.
ng
nk
king
pink
sink
그림에 알맞은 단어를 찾아 동그라미 하세요.
tebankyl
slongcub
ghasingk
잘 듣고, 알맞은 소리를 보기에서 골라 단어를 완성하세요.
보기 ng nk
1. king
2. bank
3. sink
4. long
꼼꼼 확인!
잘 듣고, 소리에 해당하는 알파벳을 쓰세요.
1. nk
2. ng
22 • 똑똑한 하루 VOCA
Level 3 A • 23

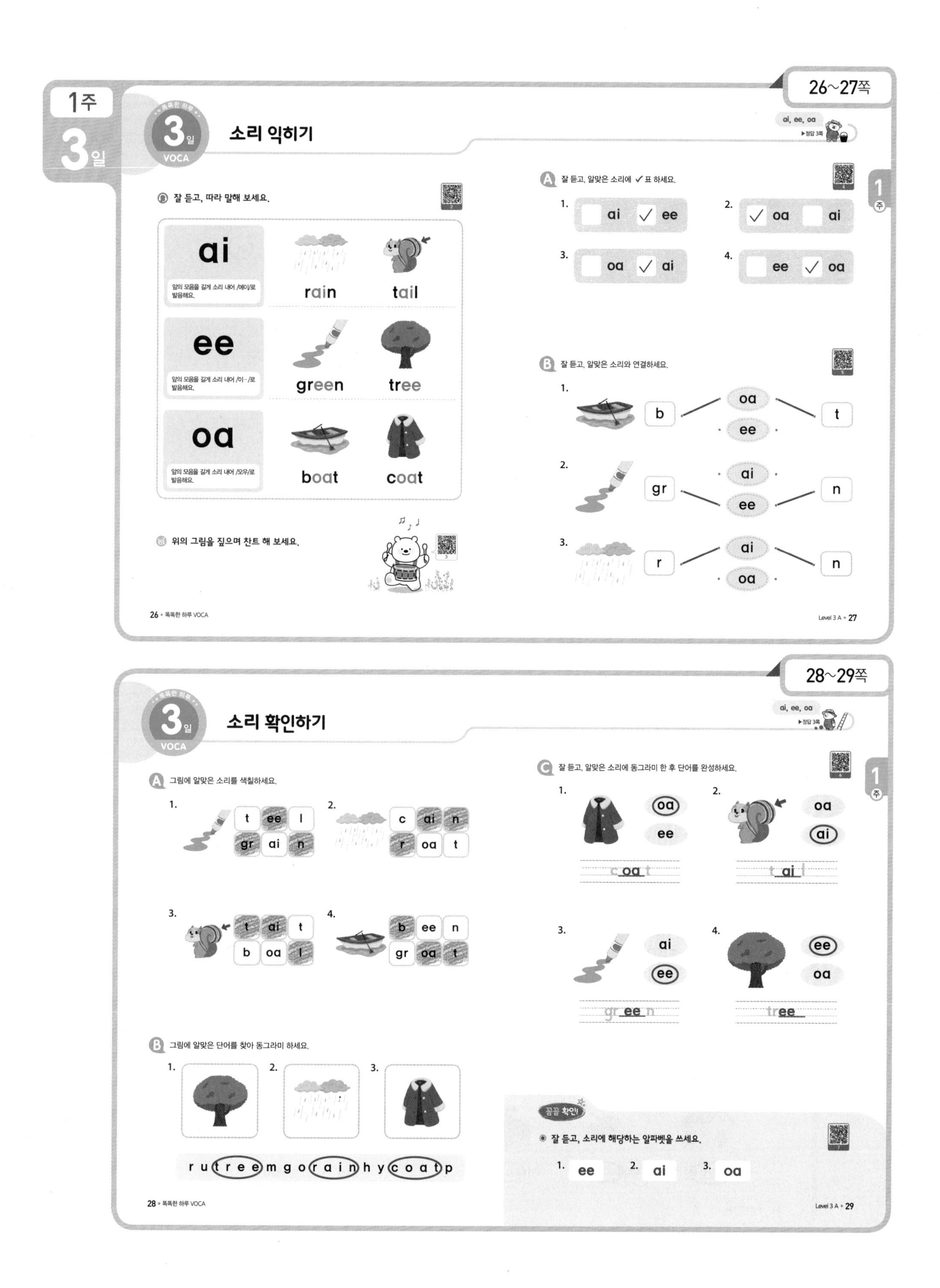

1주
3일
26~27쪽
소리 익히기
ai, ee, oa
잘 듣고, 따라 말해 보세요.
ai
앞의 모음을 길게 소리 내어 /에이/로 발음해요.
rain
tail
ee
앞의 모음을 길게 소리 내어 /이-/로 발음해요.
green
tree
oa
앞의 모음을 길게 소리 내어 /오우/로 발음해요.
boat
coat
위의 그림을 짚으며 찬트 해 보세요.
A 잘 듣고, 알맞은 소리에 ✓표 하세요.
1. ai ✓ ee
2. ✓ oa ai
3. oa ✓ ai
4. ee ✓ oa
B 잘 듣고, 알맞은 소리와 연결하세요.
1. b oa ee t
2. gr ai ee n
3. r ai oa n
26 • 똑똑한 하루 VOCA
Level 3 A • 27
28~29쪽
소리 확인하기
A 그림에 알맞은 소리를 색칠하세요.
1. t ee l gr ai n
2. c ai n r oa t
3. t ai t b oa l
4. b ee n gr oa t
B 그림에 알맞은 단어를 찾아 동그라미 하세요.
r u t r e e m g o r a i n h y c o a t p
C 잘 듣고, 알맞은 소리에 동그라미 한 후 단어를 완성하세요.
1. oa ee coat
2. oa ai tail
3. ai ee green
4. ee oa tree
꼼꼼 확인
잘 듣고, 소리에 해당하는 알파벳을 쓰세요.
1. ee 2. ai 3. oa
28 • 똑똑한 하루 VOCA
Level 3 A • 29

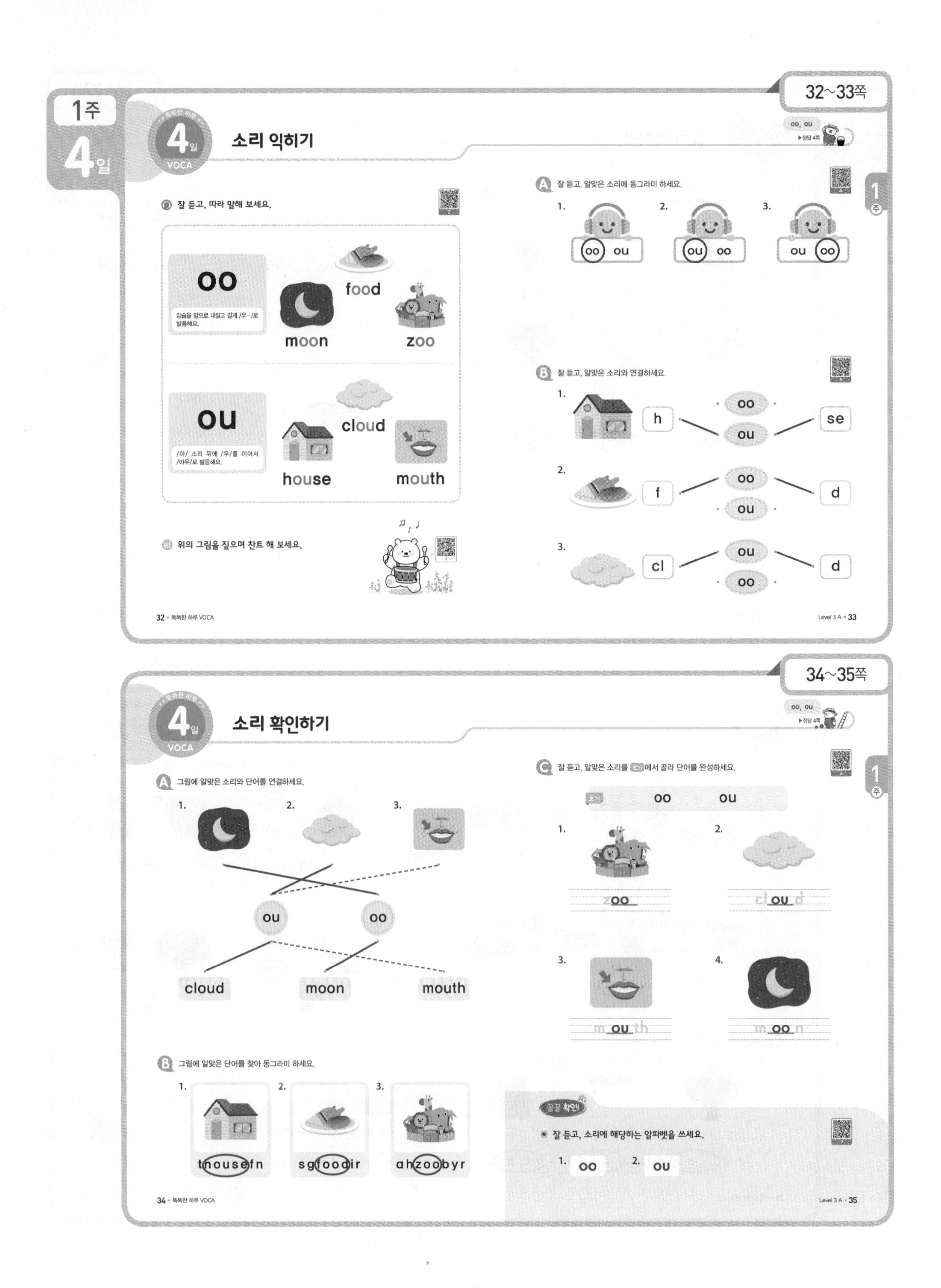

1주 4일

32~33쪽

4일 VOCA 소리 익히기

잘 듣고, 따라 말해 보세요.

oo

입술을 앞으로 내밀고 길게 /우-/로 발음해요.

food moon zoo

ou

/아/ 소리 뒤에 /우/를 이어서 /아우/로 발음해요.

cloud house mouth

위의 그림을 짚으며 챈트 해 보세요.

oo, ou ▶정답 4쪽

A 잘 듣고, 알맞은 소리에 동그라미 하세요.

1. (oo) ou
2. (ou) oo
3. ou (oo)

B 잘 듣고, 알맞은 소리와 연결하세요.

1. h — ou — se
2. f — oo — d
3. cl — ou — d

32 • 똑똑한 하루 VOCA

Level 3 A • 33

34~35쪽

4일 VOCA 소리 확인하기

A 그림에 알맞은 소리와 단어를 연결하세요.

1. oo — moon
2. ou — cloud
3. ou — mouth

B 그림에 알맞은 단어를 찾아 동그라미 하세요.

1. t(house)fn
2. sg(food)ir
3. ah(zoo)byr

oo, ou ▶정답 4쪽

C 잘 듣고, 알맞은 소리를 보기에서 골라 단어를 완성하세요.

보기 oo ou

1. z**oo**
2. cl**ou**d
3. m**ou**th
4. m**oo**n

꼼꼼 확인!

잘 듣고, 소리에 해당하는 알파벳을 쓰세요.

1. oo 2. ou

34 • 똑똑한 하루 VOCA

Level 3 A • 35

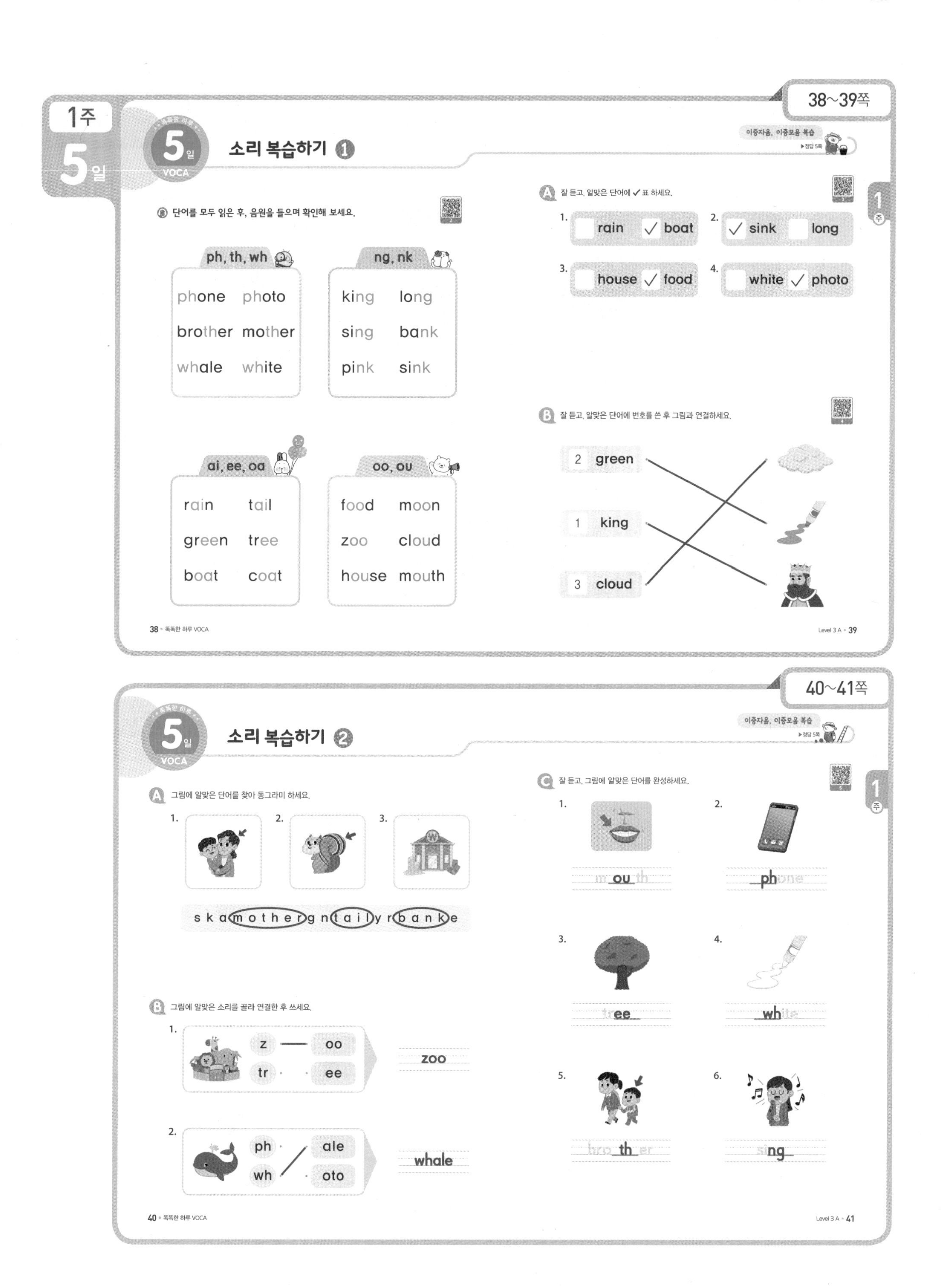

1주 5일

38~39쪽

5일 VOCA

소리 복습하기 ①

이중자음, 이중모음 복습 ▶정답 5쪽

단어를 모두 읽은 후, 음원을 들으며 확인해 보세요.

ph, th, wh	
phone	photo
brother	mother
whale	white

ng, nk	
king	long
sing	bank
pink	sink

ai, ee, oa	
rain	tail
green	tree
boat	coat

oo, ou	
food	moon
zoo	cloud
house	mouth

A 잘 듣고, 알맞은 단어에 ✓ 표 하세요.

1. rain ✓ boat
2. ✓ sink long
3. house ✓ food
4. white ✓ photo

B 잘 듣고, 알맞은 단어에 번호를 쓴 후 그림과 연결하세요.

2 green
1 king
3 cloud

40~41쪽

5일 VOCA

소리 복습하기 ②

이중자음, 이중모음 복습 ▶정답 5쪽

A 그림에 알맞은 단어를 찾아 동그라미 하세요.

1. 2. 3.

s k a (m o t h e r) g n (t a i l) y r (b a n k) e

B 그림에 알맞은 소리를 골라 연결한 후 쓰세요.

1. z — oo / tr ee → zoo
2. ph ale / wh oto → whale

C 잘 듣고, 그림에 알맞은 단어를 완성하세요.

1. m ou th
2. ph one
3. tr ee
4. wh ite
5. bro th er
6. s ing

1주
특강

42~43쪽

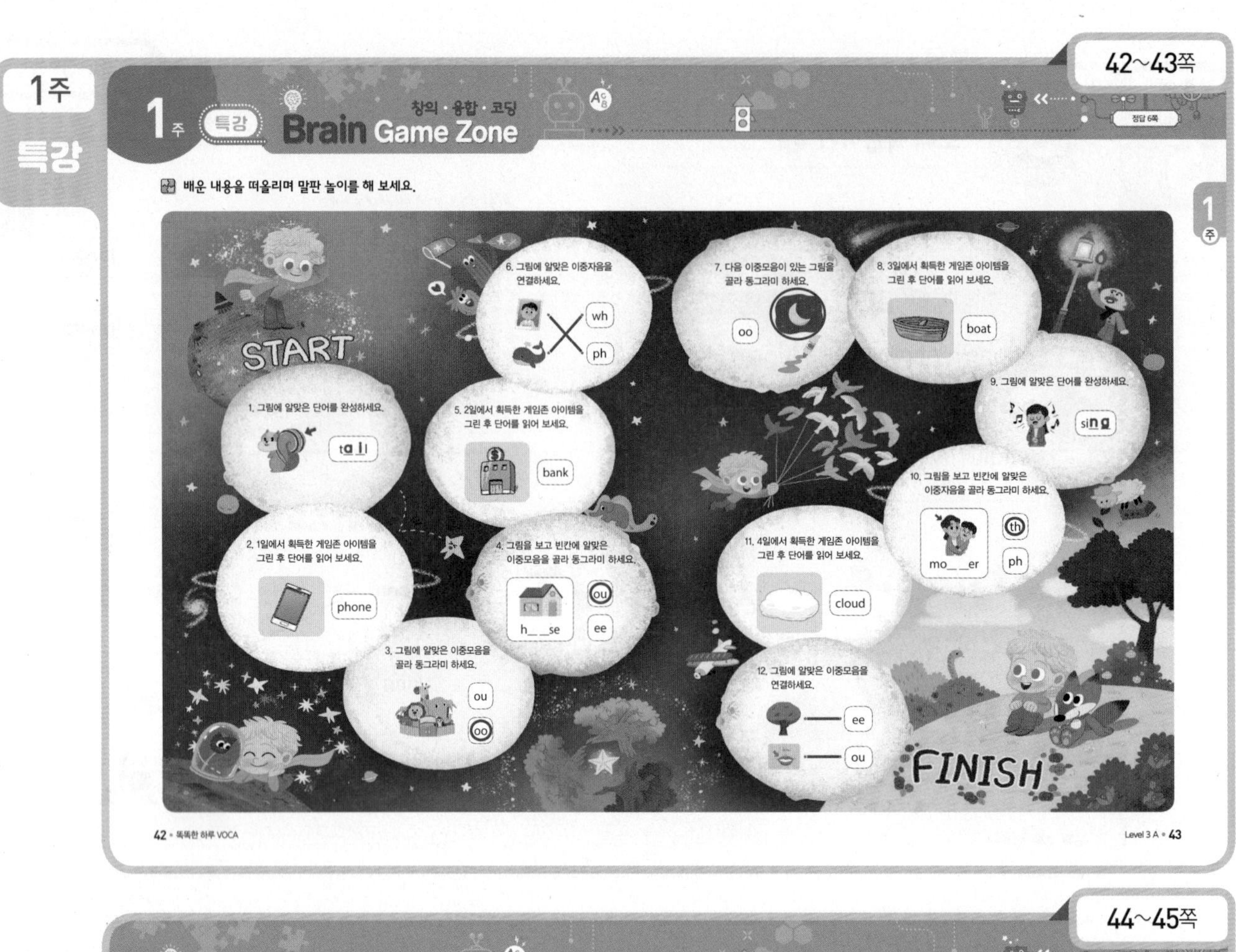
1주 특강 창의·융합·코딩 Brain Game Zone

배운 내용을 떠올리며 말판 놀이를 해 보세요.

START

1. 그림에 알맞은 단어를 완성하세요. tail

2. 1일에서 획득한 게임존 아이템을 그린 후 단어를 읽어 보세요. phone

3. 그림에 알맞은 이중모음을 골라 동그라미 하세요. ou / oo (정답: oo)

4. 그림을 보고 빈칸에 알맞은 이중모음을 골라 동그라미 하세요. h__se — ou / ee (정답: ou)

5. 2일에서 획득한 게임존 아이템을 그린 후 단어를 읽어 보세요. bank

6. 그림에 알맞은 이중자음을 연결하세요. wh / ph

7. 다음 이중모음이 있는 그림을 골라 동그라미 하세요. oo

8. 3일에서 획득한 게임존 아이템을 그린 후 단어를 읽어 보세요. boat

9. 그림에 알맞은 단어를 완성하세요. sing

10. 그림을 보고 빈칸에 알맞은 이중자음을 골라 동그라미 하세요. mo__er — th / ph (정답: th)

11. 4일에서 획득한 게임존 아이템을 그린 후 단어를 읽어 보세요. cloud

12. 그림에 알맞은 이중모음을 연결하세요. ee / ou

FINISH

42 • 똑똑한 하루 VOCA　　Level 3 A • 43

44~45쪽

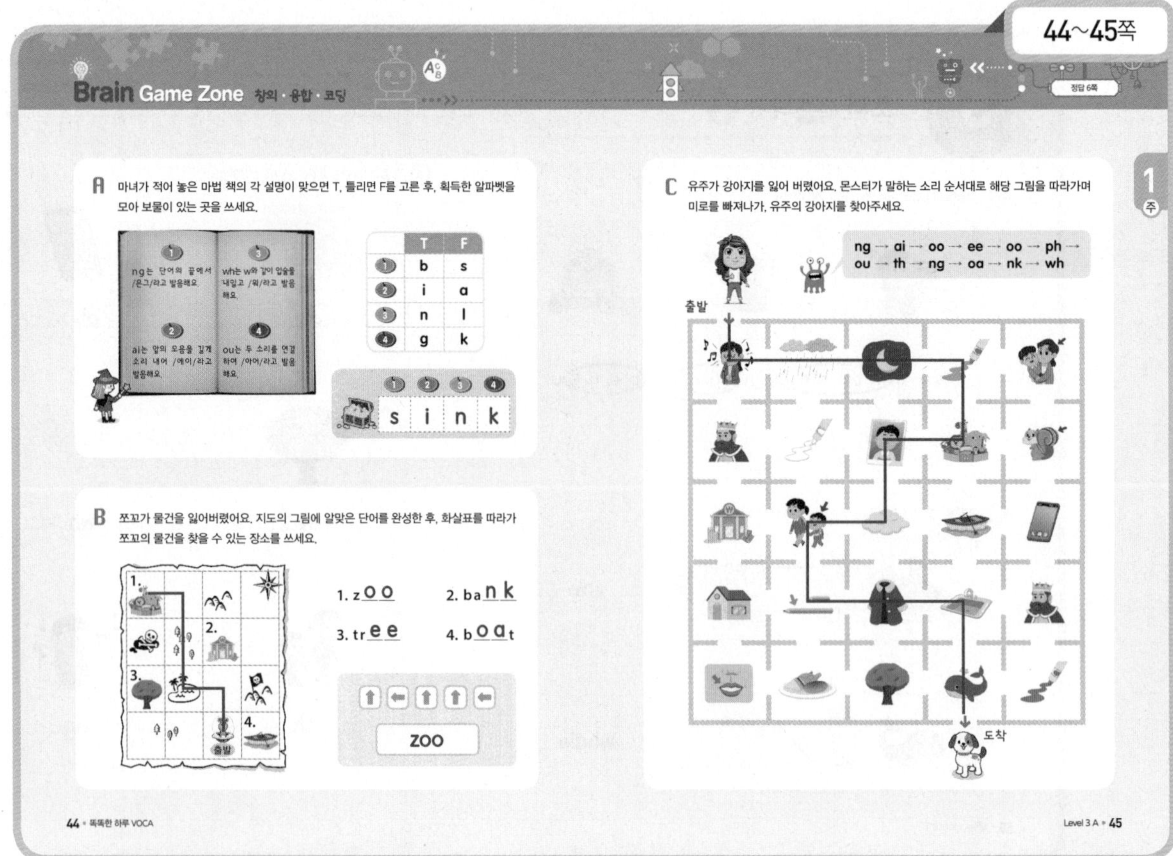
Brain Game Zone 창의·융합·코딩

A 마녀가 적어 놓은 마법 책의 각 설명이 맞으면 T, 틀리면 F를 고른 후, 획득한 알파벳을 모아 보물이 있는 곳을 쓰세요.

1 ng는 단어의 끝에서 /응그/라고 발음해요.

2 ai는 앞의 모음을 길게 소리 내어 /에이/라고 발음해요.

3 wh는 w와 같이 입술을 내밀고 /워/라고 발음해요.

4 ou는 두 소리를 연결하여 /아우/라고 발음해요.

	T	F
1	b	s
2	i	a
3	n	l
4	g	k

1 2 3 4: s i n k

B 쪼꼬가 물건을 잃어버렸어요. 지도의 그림에 알맞은 단어를 완성한 후, 화살표를 따라가 쪼꼬의 물건을 찾을 수 있는 장소를 쓰세요.

1. zoo　2. bank
3. tree　4. boat

출발

zoo

C 유주가 강아지를 잃어 버렸어요. 몬스터가 말하는 소리 순서대로 해당 그림을 따라가며 미로를 빠져나가, 유주의 강아지를 찾아주세요.

ng → ai → oo → ee → oo → ph → ou → th → ng → oa → nk → wh

출발

도착

44 • 똑똑한 하루 VOCA　　Level 3 A • 45

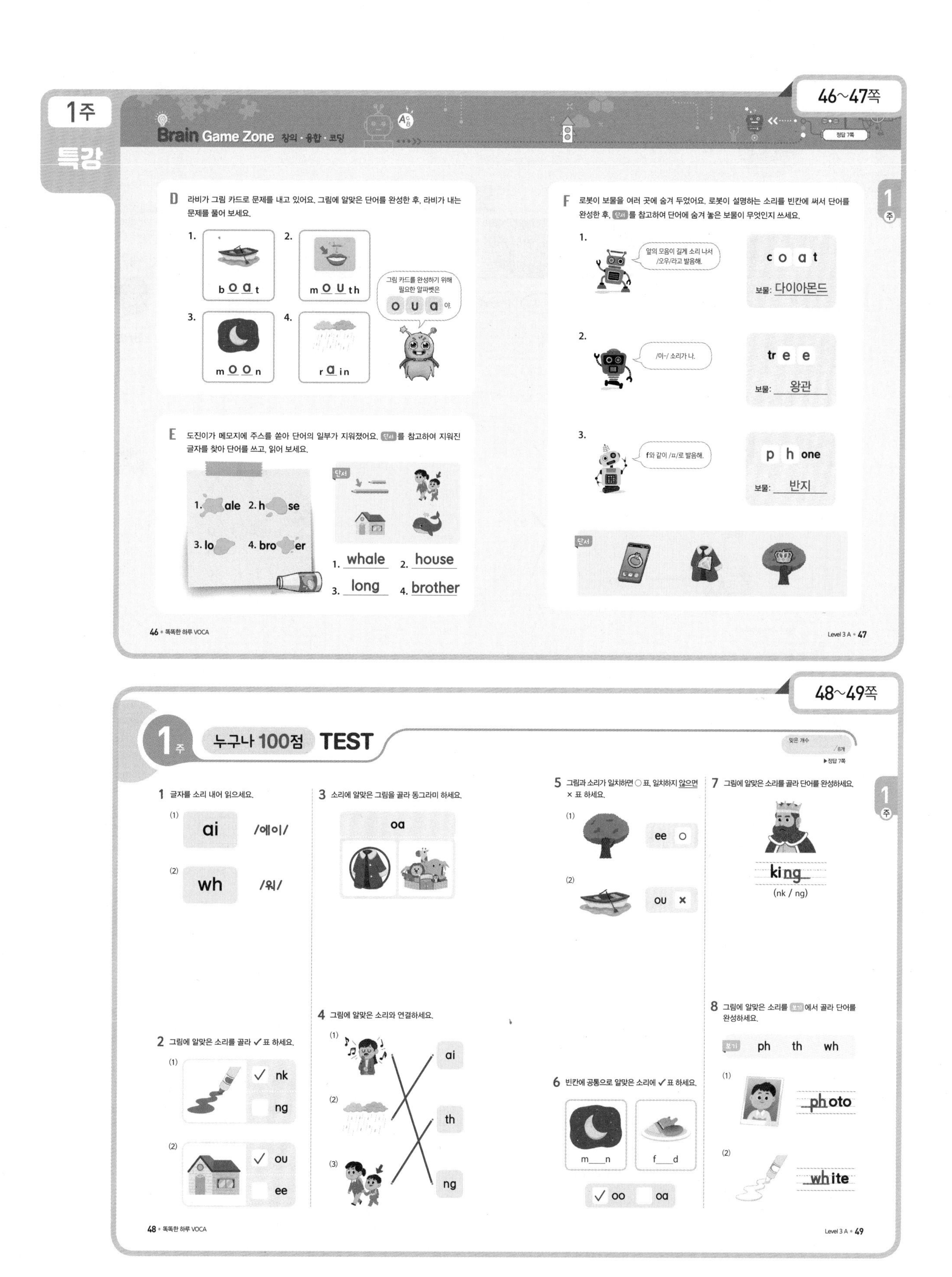

46~47쪽

1주 특강

Brain Game Zone 창의 · 융합 · 코딩

D 라비가 그림 카드로 문제를 내고 있어요. 그림에 알맞은 단어를 완성한 후, 라비가 내는 문제를 풀어 보세요.

1. b o a t
2. m o u th
3. m o o n
4. r a in

그림 카드를 완성하기 위해 필요한 알파벳은 o u a 야.

E 도진이가 메모지에 주스를 쏟아 단어의 일부가 지워졌어요. 단서를 참고하여 지워진 글자를 찾아 단어를 쓰고, 읽어 보세요.

1. ale 2. h se 3. lo 4. bro er

단서

1. whale 2. house
3. long 4. brother

F 로봇이 보물을 여러 곳에 숨겨 두었어요. 로봇이 설명하는 소리를 빈칸에 써서 단어를 완성한 후, 단서를 참고하여 단어에 숨겨 놓은 보물이 무엇인지 쓰세요.

1. 앞의 모음이 길게 소리 나서 /오우/라고 발음해.
c o a t
보물: 다이아몬드

2. /이-/ 소리가 나.
tr e e
보물: 왕관

3. f와 같이 /ㅍ/로 발음해.
p h one
보물: 반지

단서

46 • 똑똑한 하루 VOCA

Level 3 A • 47

48~49쪽

1주 누구나 100점 TEST

맞은 개수 /8개
▶정답 7쪽

1 글자를 소리 내어 읽으세요.
(1) ai /에이/
(2) wh /워/

2 그림에 알맞은 소리를 골라 ✓ 표 하세요.
(1) ✓ nk ng
(2) ✓ ou ee

3 소리에 알맞은 그림을 골라 동그라미 하세요.
oa

4 그림에 알맞은 소리와 연결하세요.
(1) — th
(2) — ai
(3) — ng

5 그림과 소리가 일치하면 ○ 표, 일치하지 않으면 × 표 하세요.
(1) ee ○
(2) ou ×

6 빈칸에 공통으로 알맞은 소리에 ✓ 표 하세요.
m__n f__d
✓ oo oa

7 그림에 알맞은 소리를 골라 단어를 완성하세요.
king
(nk / ng)

8 그림에 알맞은 소리를 보기에서 골라 단어를 완성하세요.
보기 ph th wh
(1) photo
(2) white

48 • 똑똑한 하루 VOCA

Level 3 A • 49

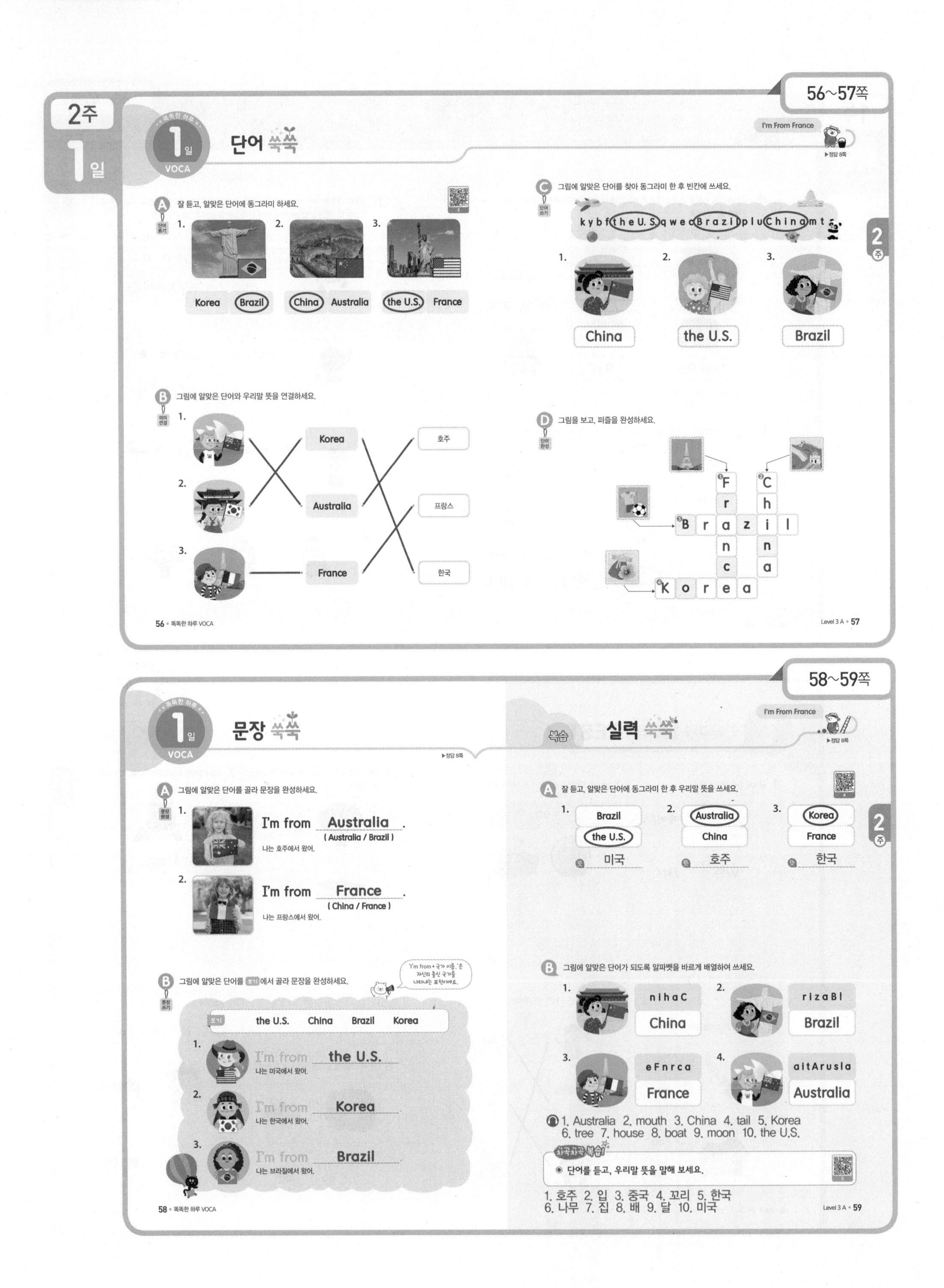

2주 1일

56~57쪽

1일 VOCA 단어 쑥쑥

I'm From France ▶정답 8쪽

A 잘 듣고, 알맞은 단어에 동그라미 하세요.

1. Korea (Brazil)
2. (China) Australia
3. (the U.S.) France

B 그림에 알맞은 단어와 우리말 뜻을 연결하세요.

1. Australia – 호주
2. Korea – 한국
3. France – 프랑스

C 그림에 알맞은 단어를 찾아 동그라미 한 후 빈칸에 쓰세요.

k y b f (t h e U. S.) q w e (B r a z i l) p l u (C h i n a) m t

1. China
2. the U.S.
3. Brazil

D 그림을 보고, 퍼즐을 완성하세요.

1 France
2 China
3 Brazil
4 Korea

56 • 똑똑한 하루 VOCA

Level 3 A • 57

58~59쪽

1일 VOCA 문장 쑥쑥 ▶정답 8쪽

A 그림에 알맞은 단어를 골라 문장을 완성하세요.

1. I'm from Australia. (Australia / Brazil) 나는 호주에서 왔어.
2. I'm from France. (China / France) 나는 프랑스에서 왔어.

B 그림에 알맞은 단어를 보기에서 골라 문장을 완성하세요.

'I'm from + 국가 이름.'은 자신의 출신 국가를 나타내는 표현이에요.

보기: the U.S. China Brazil Korea

1. I'm from the U.S. 나는 미국에서 왔어.
2. I'm from Korea. 나는 한국에서 왔어.
3. I'm from Brazil. 나는 브라질에서 왔어.

58 • 똑똑한 하루 VOCA

복습 실력 쑥쑥

I'm From France ▶정답 8쪽

A 잘 듣고, 알맞은 단어에 동그라미 한 후 우리말 뜻을 쓰세요.

1. Brazil / (the U.S.) 뜻 미국
2. (Australia) / China 뜻 호주
3. (Korea) / France 뜻 한국

B 그림에 알맞은 단어가 되도록 알파벳을 바르게 배열하여 쓰세요.

1. n i h a C → China
2. r i z a B l → Brazil
3. e F n r c a → France
4. a i t A r u s l a → Australia

1. Australia 2. mouth 3. China 4. tail 5. Korea
6. tree 7. house 8. boat 9. moon 10. the U.S.

차곡차곡 복습

◉ 단어를 듣고, 우리말 뜻을 말해 보세요.

1. 호주 2. 입 3. 중국 4. 꼬리 5. 한국
6. 나무 7. 집 8. 배 9. 달 10. 미국

Level 3 A • 59

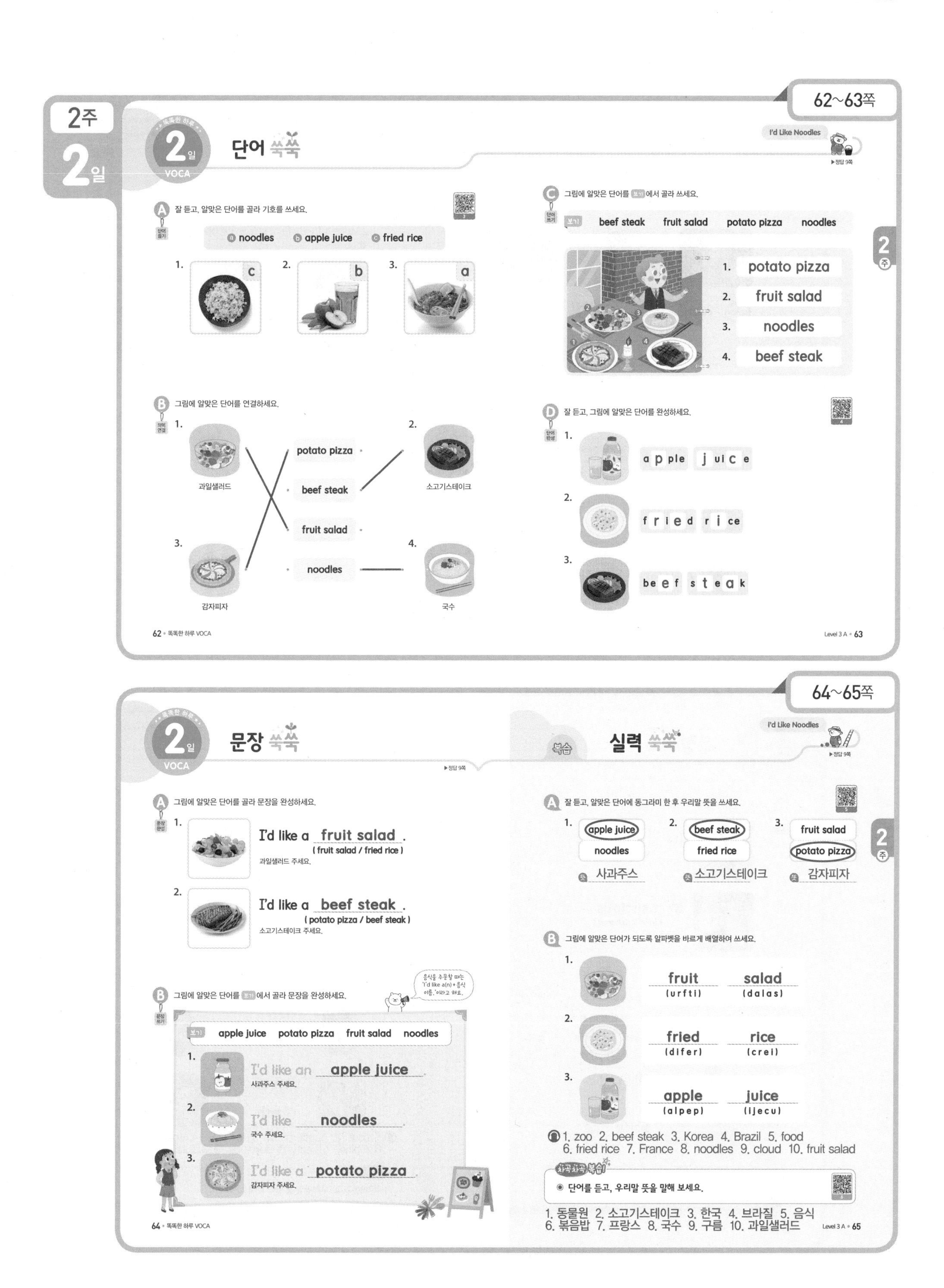

62~63쪽

2주 2일

똑똑한 하루 2일 VOCA

단어 쑥쑥

I'd Like Noodles

▶정답 9쪽

A 잘 듣고, 알맞은 단어를 골라 기호를 쓰세요.

ⓐ noodles ⓑ apple juice ⓒ fried rice

1. c 2. b 3. a

B 그림에 알맞은 단어를 연결하세요.

1. 과일샐러드 — fruit salad
2. 소고기스테이크 — beef steak
3. 감자피자 — potato pizza
4. 국수 — noodles

C 그림에 알맞은 단어를 보기에서 골라 쓰세요.

보기 beef steak fruit salad potato pizza noodles

1. potato pizza
2. fruit salad
3. noodles
4. beef steak

D 잘 듣고, 그림에 알맞은 단어를 완성하세요.

1. apple juice
2. fried rice
3. beef steak

62 • 똑똑한 하루 VOCA

Level 3 A • 63

64~65쪽

똑똑한 하루 2일 VOCA

문장 쑥쑥

▶정답 9쪽

A 그림에 알맞은 단어를 골라 문장을 완성하세요.

1. I'd like a fruit salad. (fruit salad / fried rice) 과일샐러드 주세요.
2. I'd like a beef steak. (potato pizza / beef steak) 소고기스테이크 주세요.

B 그림에 알맞은 단어를 보기에서 골라 문장을 완성하세요.

음식을 주문할 때는 'I'd like a(n)+음식 이름.'이라고 해요.

보기 apple juice potato pizza fruit salad noodles

1. I'd like an apple juice. 사과주스 주세요.
2. I'd like noodles. 국수 주세요.
3. I'd like a potato pizza. 감자피자 주세요.

64 • 똑똑한 하루 VOCA

복습

실력 쑥쑥

I'd Like Noodles

▶정답 9쪽

A 잘 듣고, 알맞은 단어에 동그라미 한 후 우리말 뜻을 쓰세요.

1. (apple juice) / noodles 뜻 사과주스
2. (beef steak) / fried rice 뜻 소고기스테이크
3. fruit salad / (potato pizza) 뜻 감자피자

B 그림에 알맞은 단어가 되도록 알파벳을 바르게 배열하여 쓰세요.

1. fruit (urfti) salad (dalas)
2. fried (difer) rice (crei)
3. apple (alpep) juice (ijecu)

1. zoo 2. beef steak 3. Korea 4. Brazil 5. food
6. fried rice 7. France 8. noodles 9. cloud 10. fruit salad

차곡차곡 복습

◉ 단어를 듣고, 우리말 뜻을 말해 보세요.

1. 동물원 2. 소고기스테이크 3. 한국 4. 브라질 5. 음식
6. 볶음밥 7. 프랑스 8. 국수 9. 구름 10. 과일샐러드

Level 3 A • 65

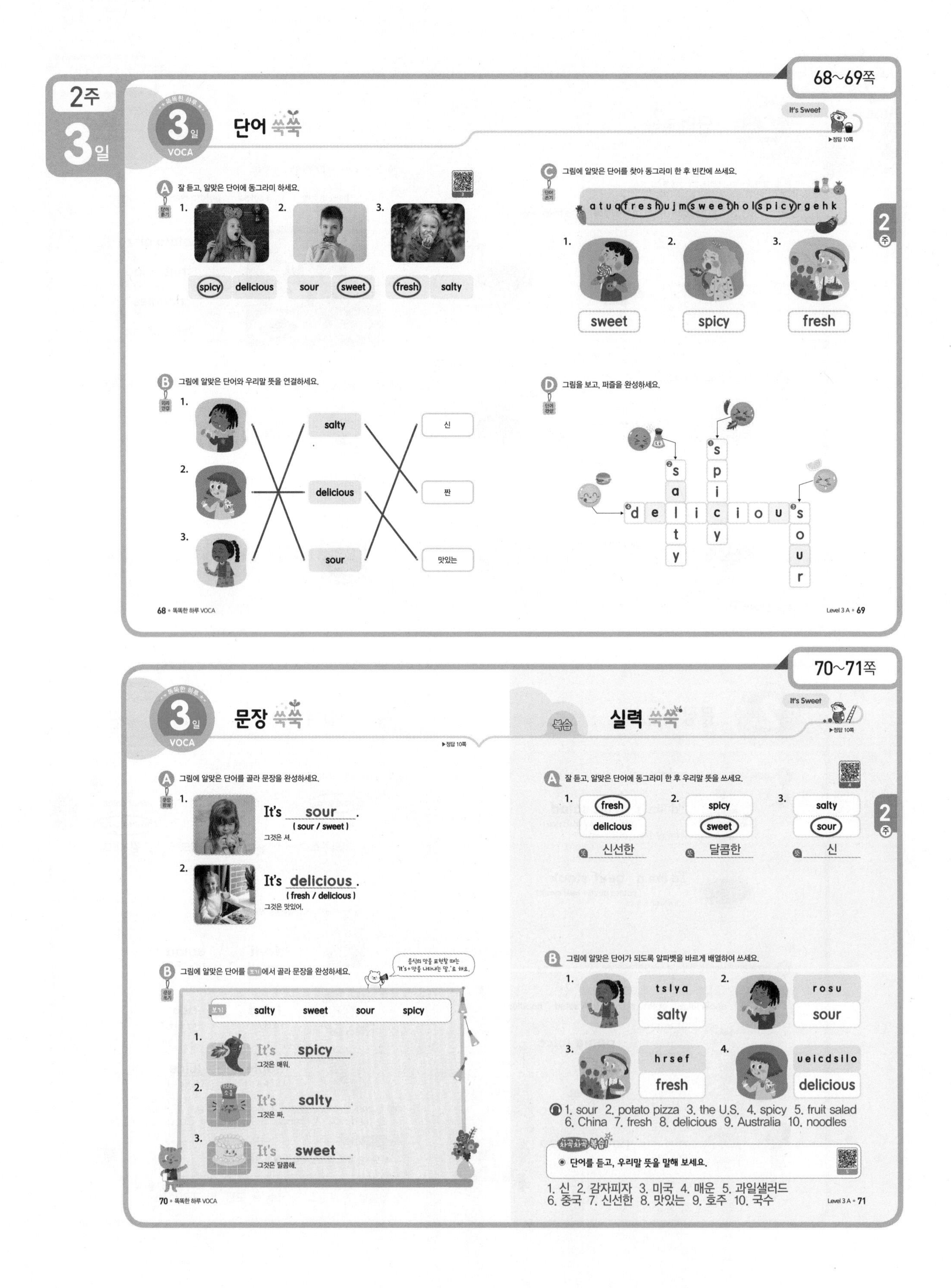
68~69쪽
2주
3일
단어 쑥쑥
It's Sweet
▶정답 10쪽
A 잘 듣고, 알맞은 단어에 동그라미 하세요.
1. spicy delicious
2. sour sweet
3. fresh salty
B 그림에 알맞은 단어와 우리말 뜻을 연결하세요.
salty
delicious
sour
신
짠
맛있는
C 그림에 알맞은 단어를 찾아 동그라미 한 후 빈칸에 쓰세요.
a t u q f r e s h u j m s w e e t h o l s p i c y r g e h k
1. sweet
2. spicy
3. fresh
D 그림을 보고, 퍼즐을 완성하세요.
salty
spicy
delicious
sour
68 • 똑똑한 하루 VOCA
Level 3 A • 69
70~71쪽
3일
문장 쑥쑥
▶정답 10쪽
A 그림에 알맞은 단어를 골라 문장을 완성하세요.
1. It's sour. (sour / sweet) 그것은 셔.
2. It's delicious. (fresh / delicious) 그것은 맛있어.
B 그림에 알맞은 단어를 보기에서 골라 문장을 완성하세요.
음식의 맛을 표현할 때는 'It's+맛을 나타내는 말.'로 해요.
보기 salty sweet sour spicy
1. It's spicy. 그것은 매워.
2. It's salty. 그것은 짜.
3. It's sweet. 그것은 달콤해.
70 • 똑똑한 하루 VOCA
복습
실력 쑥쑥
It's Sweet
▶정답 10쪽
A 잘 듣고, 알맞은 단어에 동그라미 한 후 우리말 뜻을 쓰세요.
1. fresh delicious 신선한
2. spicy sweet 달콤한
3. salty sour 신
B 그림에 알맞은 단어가 되도록 알파벳을 바르게 배열하여 쓰세요.
1. t s l y a salty
2. r o s u sour
3. h r s e f fresh
4. u e i c d s i l o delicious
1. sour 2. potato pizza 3. the U.S. 4. spicy 5. fruit salad 6. China 7. fresh 8. delicious 9. Australia 10. noodles
차곡차곡 복습!
단어를 듣고, 우리말 뜻을 말해 보세요.
1. 신 2. 감자피자 3. 미국 4. 매운 5. 과일샐러드 6. 중국 7. 신선한 8. 맛있는 9. 호주 10. 국수
Level 3 A • 71

74~75쪽

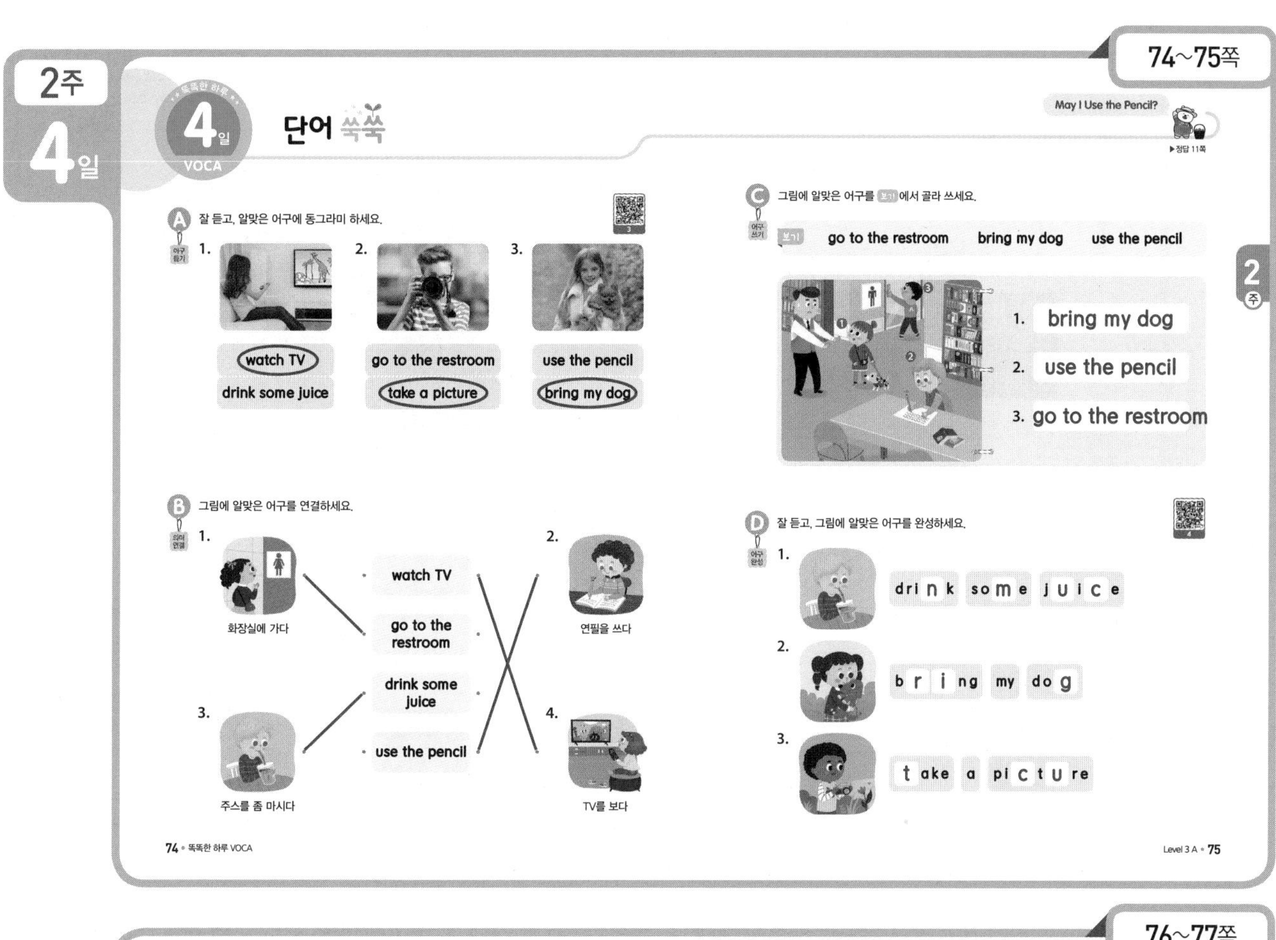

76~77쪽

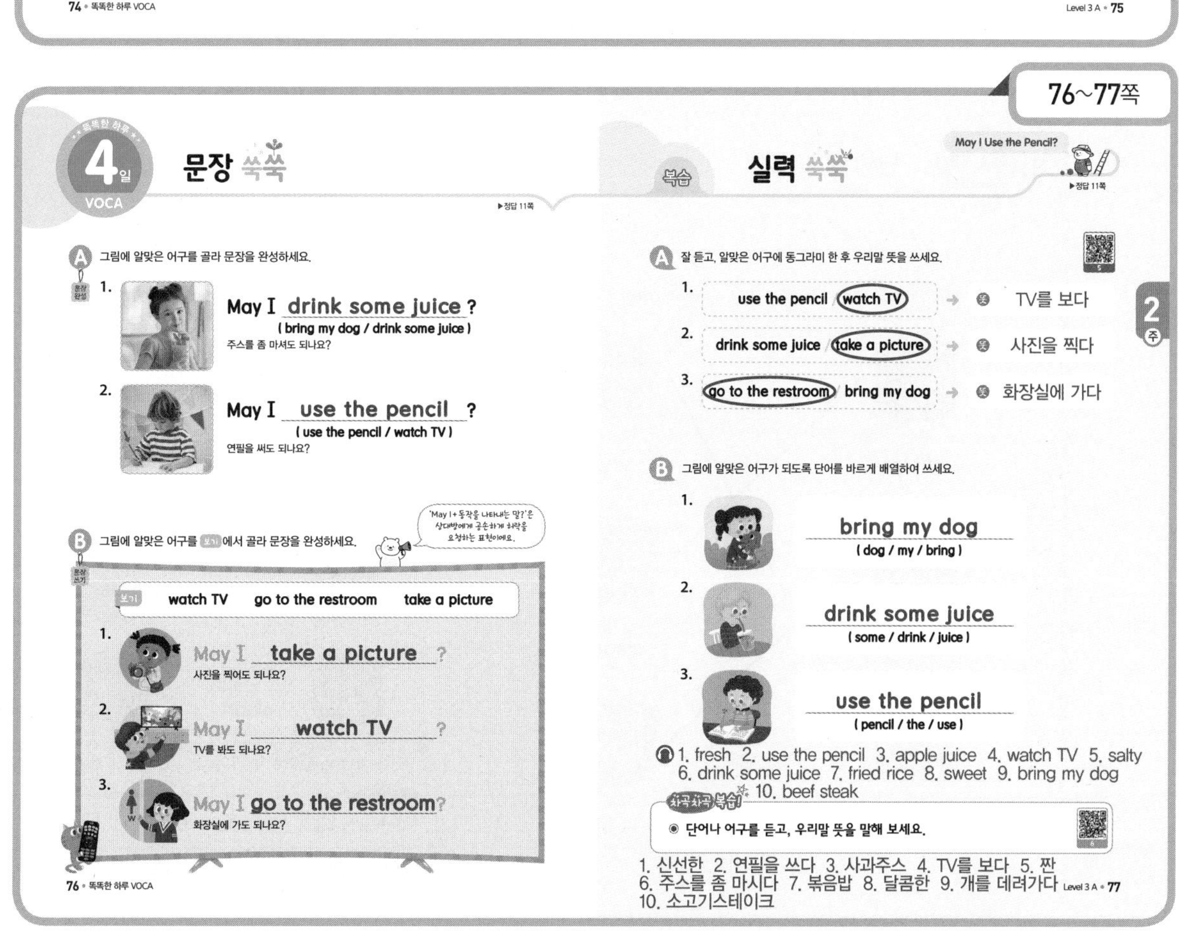

1. fresh 2. use the pencil 3. apple juice 4. watch TV 5. salty 6. drink some juice 7. fried rice 8. sweet 9. bring my dog 10. beef steak

1. 신선한 2. 연필을 쓰다 3. 사과주스 4. TV를 보다 5. 짠 6. 주스를 좀 마시다 7. 볶음밥 8. 달콤한 9. 개를 데려가다 10. 소고기스테이크

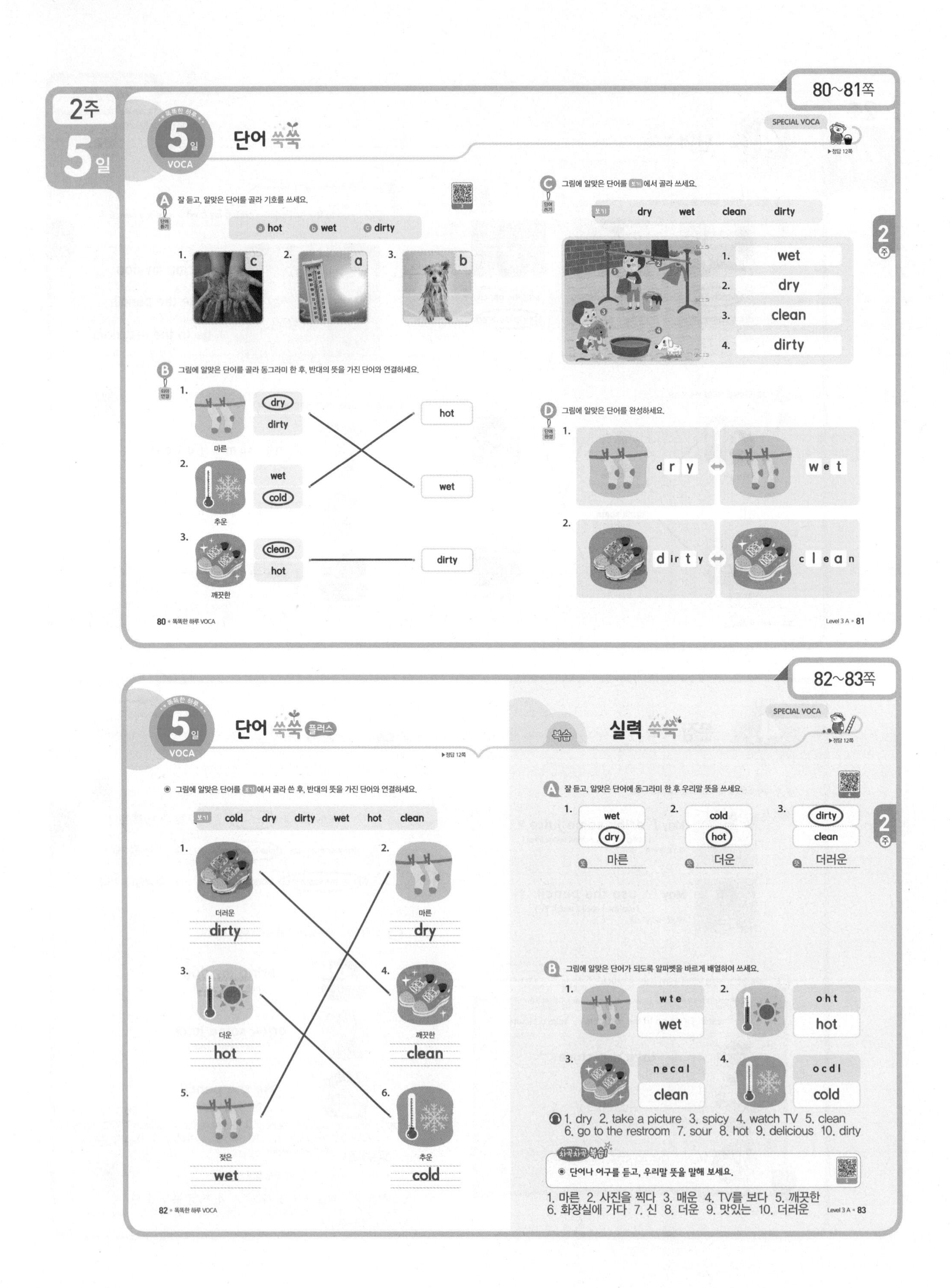
80~81쪽
2주 5일
단어 쑥쑥
A 잘 듣고, 알맞은 단어를 골라 기호를 쓰세요.
ⓐ hot ⓑ wet ⓒ dirty
1. c 2. a 3. b
B 그림에 알맞은 단어를 골라 동그라미 한 후, 반대의 뜻을 가진 단어와 연결하세요.
1. dry dirty 마른
2. wet cold 추운
3. clean hot 깨끗한
hot
wet
dirty
C 그림에 알맞은 단어를 보기에서 골라 쓰세요.
보기 dry wet clean dirty
1. wet
2. dry
3. clean
4. dirty
D 그림에 알맞은 단어를 완성하세요.
1. dry ↔ wet
2. dirty ↔ clean
80 똑똑한 하루 VOCA
Level 3 A 81
82~83쪽
단어 쑥쑥 플러스
그림에 알맞은 단어를 보기에서 골라 쓴 후, 반대의 뜻을 가진 단어와 연결하세요.
보기 cold dry dirty wet hot clean
1. 더러운 dirty
2. 마른 dry
3. 더운 hot
4. 깨끗한 clean
5. 젖은 wet
6. 추운 cold
복습 실력 쑥쑥
A 잘 듣고, 알맞은 단어에 동그라미 한 후 우리말 뜻을 쓰세요.
1. wet dry 마른
2. cold hot 더운
3. dirty clean 더러운
B 그림에 알맞은 단어가 되도록 알파벳을 바르게 배열하여 쓰세요.
1. wte wet
2. oht hot
3. necal clean
4. ocdl cold
1. dry 2. take a picture 3. spicy 4. watch TV 5. clean
6. go to the restroom 7. sour 8. hot 9. delicious 10. dirty
차곡차곡 복습
단어나 어구를 듣고, 우리말 뜻을 말해 보세요.
1. 마른 2. 사진을 찍다 3. 매운 4. TV를 보다 5. 깨끗한
6. 화장실에 가다 7. 신 8. 더운 9. 맛있는 10. 더러운
82 똑똑한 하루 VOCA
Level 3 A 83

2주 특강

84~85쪽

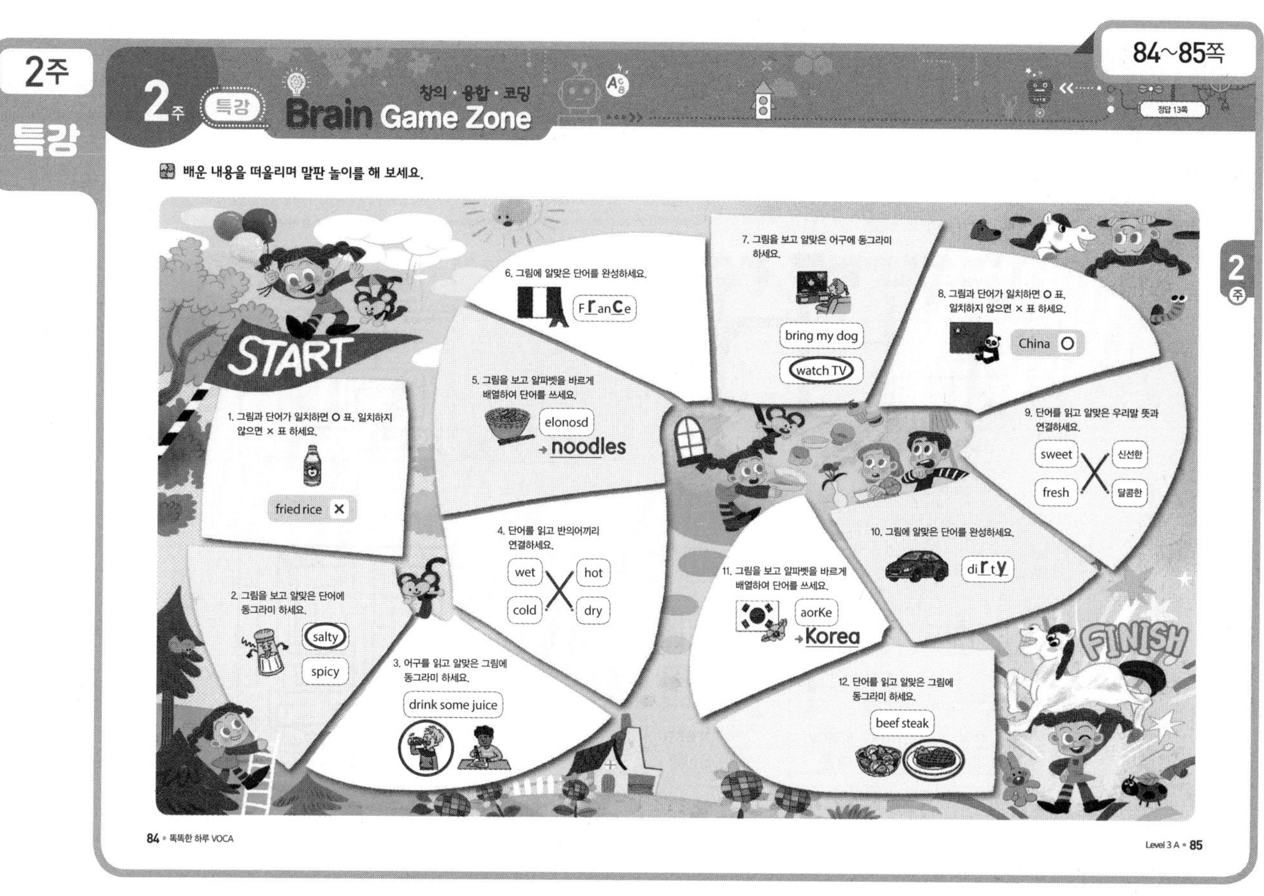

86~87쪽

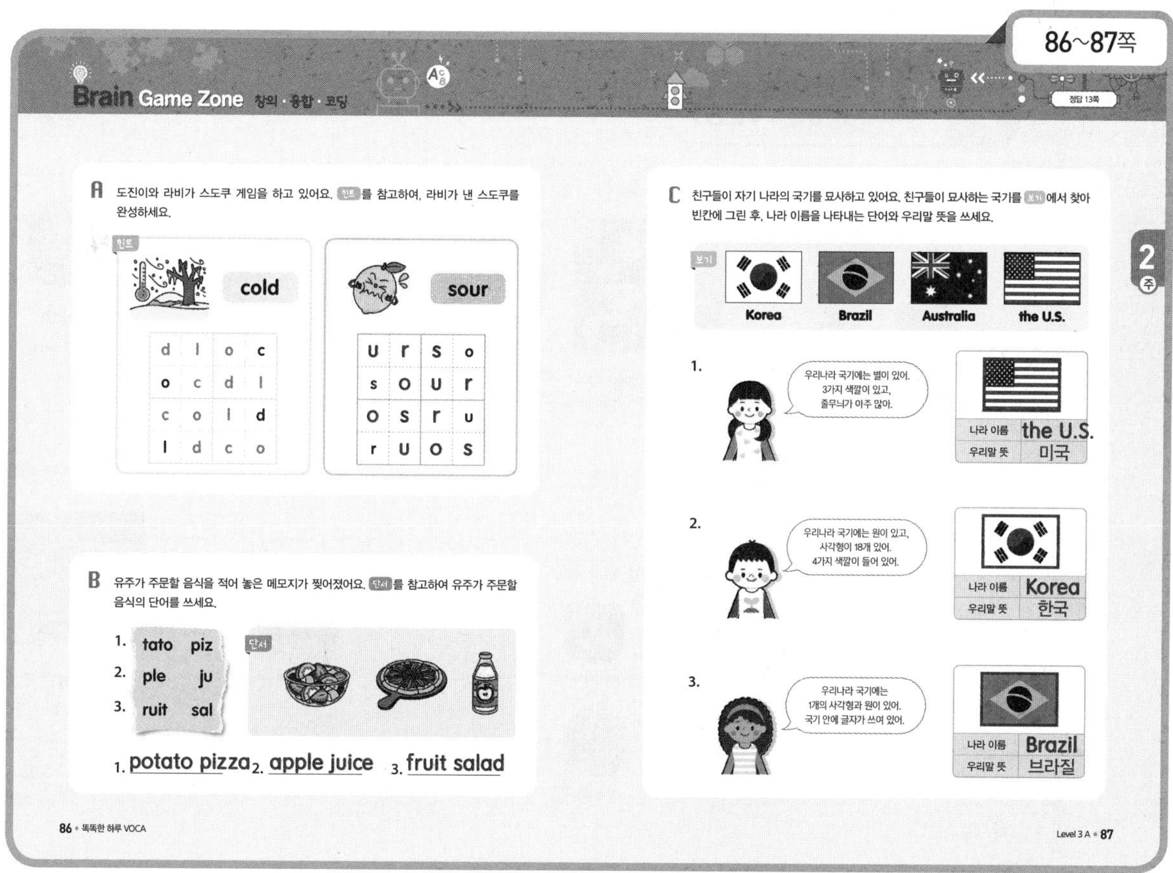

Brain Game Zone 창의 · 융합 · 코딩
정답 13쪽
A 도진이와 라비가 스도쿠 게임을 하고 있어요. 힌트를 참고하여, 라비가 낸 스도쿠를 완성하세요.
힌트
cold
d l o c
o c d l
c o l d
l d c o
sour
u r s o
s o u r
o s r u
r u o s
B 유주가 주문할 음식을 적어 놓은 메모지가 찢어졌어요. 단서를 참고하여 유주가 주문할 음식의 단어를 쓰세요.
1. tato piz
2. ple ju
3. ruit sal
단서
1. potato pizza 2. apple juice 3. fruit salad
C 친구들이 자기 나라의 국기를 묘사하고 있어요. 친구들이 묘사하는 국기를 보기에서 찾아 빈칸에 그린 후, 나라 이름을 나타내는 단어와 우리말 뜻을 쓰세요.
보기
Korea
Brazil
Australia
the U.S.
1.
우리나라 국기에는 별이 있어. 3가지 색깔이 있고, 줄무늬가 아주 많아.
나라 이름 the U.S.
우리말 뜻 미국
2.
우리나라 국기에는 원이 있고, 사각형이 18개 있어. 4가지 색깔이 들어 있어.
나라 이름 Korea
우리말 뜻 한국
3.
우리나라 국기에는 1개의 사각형과 원이 있어. 국기 안에 글자가 쓰여 있어.
나라 이름 Brazil
우리말 뜻 브라질
86 • 똑똑한 하루 VOCA
Level 3 A • 87

88~89쪽

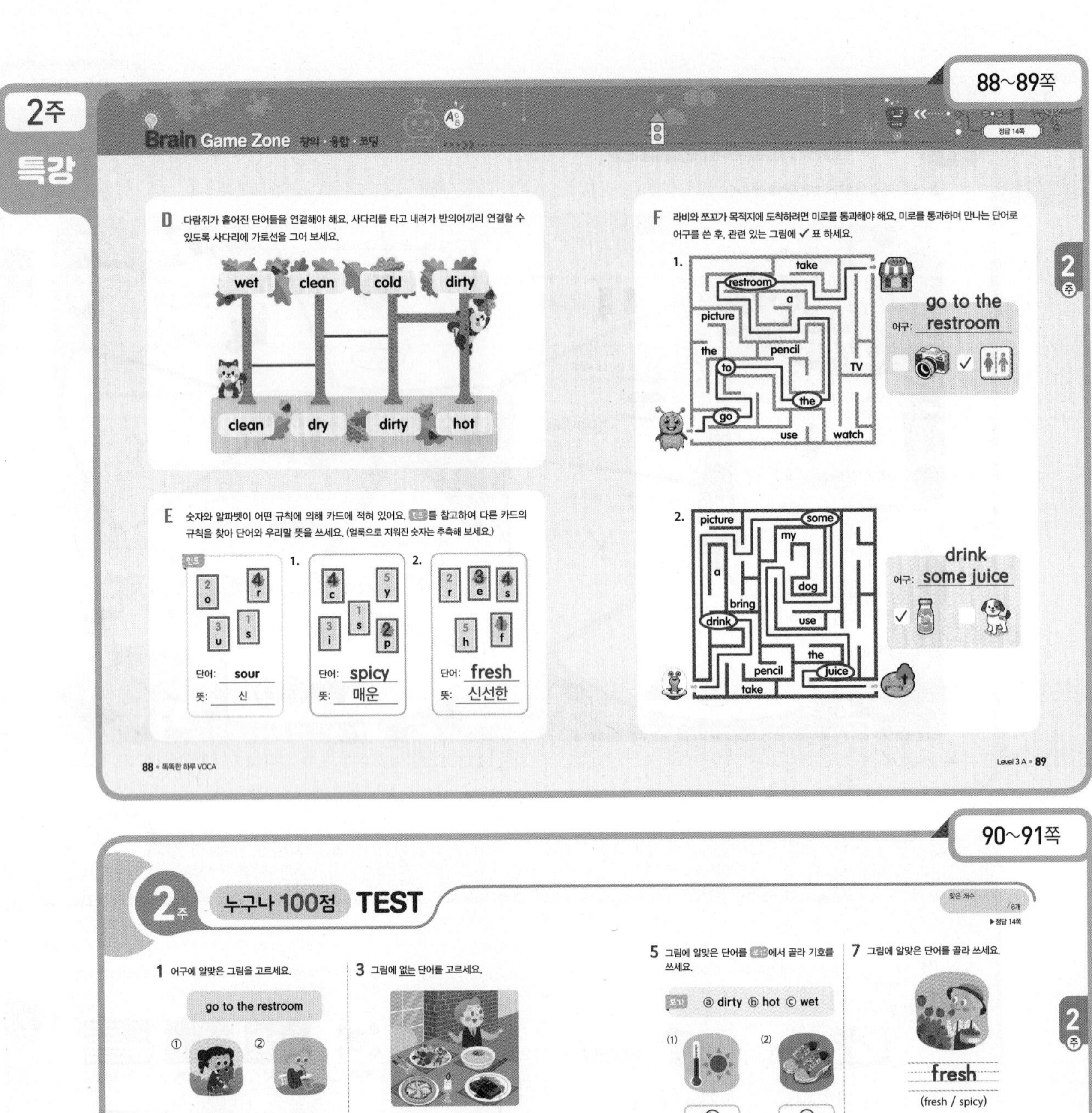
2주
특강
Brain Game Zone 창의 · 융합 · 코딩
정답 14쪽
D 다람쥐가 흩어진 단어들을 연결해야 해요. 사다리를 타고 내려가 반의어끼리 연결할 수 있도록 사다리에 가로선을 그어 보세요.
wet
clean
cold
dirty
clean
dry
dirty
hot
E 숫자와 알파벳이 어떤 규칙에 의해 카드에 적혀 있어요. 힌트를 참고하여 다른 카드의 규칙을 찾아 단어와 우리말 뜻을 쓰세요. (얼룩으로 지워진 숫자는 추측해 보세요.)
힌트
단어: sour
뜻: 신
1. 단어: spicy
뜻: 매운
2. 단어: fresh
뜻: 신선한
F 라비와 쪼꼬가 목적지에 도착하려면 미로를 통과해야 해요. 미로를 통과하며 만나는 단어로 어구를 쓴 후, 관련 있는 그림에 ✓ 표 하세요.
1. 어구: go to the restroom
2. 어구: drink some juice
88 • 똑똑한 하루 VOCA
Level 3 A • 89

90~91쪽

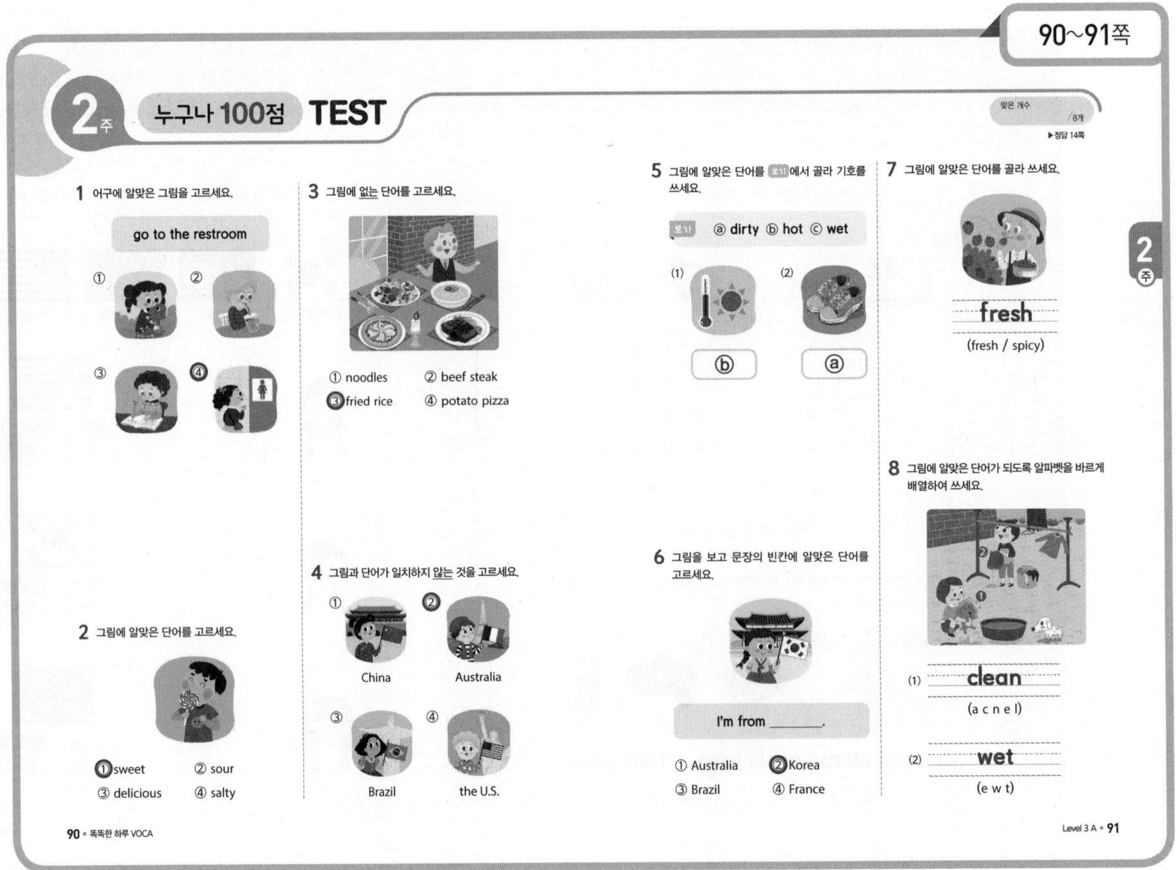
2주 누구나 100점 TEST
맞은 개수 /8개
▶정답 14쪽
1 어구에 알맞은 그림을 고르세요.
go to the restroom
④
2 그림에 알맞은 단어를 고르세요.
① sweet ② sour ③ delicious ④ salty
3 그림에 없는 단어를 고르세요.
① noodles ② beef steak ③ fried rice ④ potato pizza
4 그림과 단어가 일치하지 않는 것을 고르세요.
① China ② Australia ③ Brazil ④ the U.S.
5 그림에 알맞은 단어를 보기에서 골라 기호를 쓰세요.
보기 ⓐ dirty ⓑ hot ⓒ wet
(1) ⓑ (2) ⓐ
6 그림을 보고 문장의 빈칸에 알맞은 단어를 고르세요.
I'm from ______.
① Australia ② Korea ③ Brazil ④ France
7 그림에 알맞은 단어를 골라 쓰세요.
fresh
(fresh / spicy)
8 그림에 알맞은 단어가 되도록 알파벳을 바르게 배열하여 쓰세요.
(1) clean (a c n e l)
(2) wet (e w t)
90 • 똑똑한 하루 VOCA
Level 3 A • 91

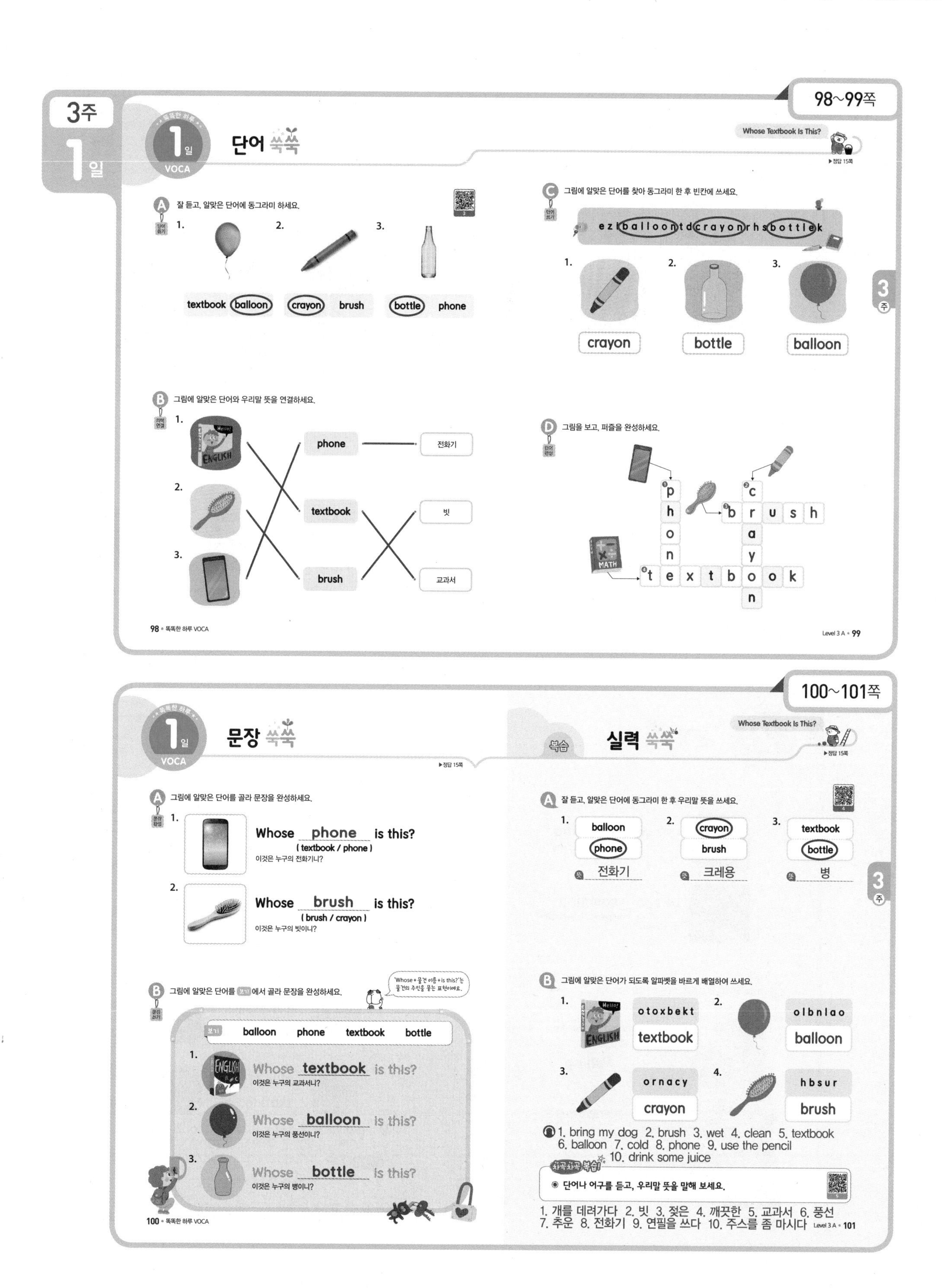

3주 1일

98~99쪽

똑똑한 하루 1일 VOCA 단어 쑥쑥

Whose Textbook Is This?

▶정답 15쪽

A 잘 듣고, 알맞은 단어에 동그라미 하세요.

1. textbook (balloon)
2. (crayon) brush
3. (bottle) phone

B 그림에 알맞은 단어와 우리말 뜻을 연결하세요.

1. textbook – 교과서
2. brush – 빗
3. phone – 전화기

C 그림에 알맞은 단어를 찾아 동그라미 한 후 빈칸에 쓰세요.

e z (b a l l o o n) t d (c r a y o n) r h s (b o t t l e) k

1. crayon
2. bottle
3. balloon

D 그림을 보고, 퍼즐을 완성하세요.

1. phone
2. crayon
3. brush
4. textbook

100~101쪽

똑똑한 하루 1일 VOCA 문장 쑥쑥

▶정답 15쪽

A 그림에 알맞은 단어를 골라 문장을 완성하세요.

1. Whose phone is this? (textbook / phone)
   이것은 누구의 전화기니?
2. Whose brush is this? (brush / crayon)
   이것은 누구의 빗이니?

B 그림에 알맞은 단어를 보기에서 골라 문장을 완성하세요.

'Whose + 물건 이름 + is this?'는 물건의 주인을 묻는 표현이에요.

보기: balloon phone textbook bottle

1. Whose textbook is this?
   이것은 누구의 교과서니?
2. Whose balloon is this?
   이것은 누구의 풍선이니?
3. Whose bottle is this?
   이것은 누구의 병이니?

복습 실력 쑥쑥

Whose Textbook Is This?

▶정답 15쪽

A 잘 듣고, 알맞은 단어에 동그라미 한 후 우리말 뜻을 쓰세요.

1. balloon (phone) 뜻 전화기
2. (crayon) brush 뜻 크레용
3. textbook (bottle) 뜻 병

B 그림에 알맞은 단어가 되도록 알파벳을 바르게 배열하여 쓰세요.

1. o t o x b e k t → textbook
2. o l b n l a o → balloon
3. o r n a c y → crayon
4. h b s u r → brush

1. bring my dog 2. brush 3. wet 4. clean 5. textbook 6. balloon 7. cold 8. phone 9. use the pencil 10. drink some juice

차곡차곡 복습!

◉ 단어나 어구를 듣고, 우리말 뜻을 말해 보세요.

1. 개를 데려가다 2. 빗 3. 젖은 4. 깨끗한 5. 교과서 6. 풍선 7. 추운 8. 전화기 9. 연필을 쓰다 10. 주스를 좀 마시다

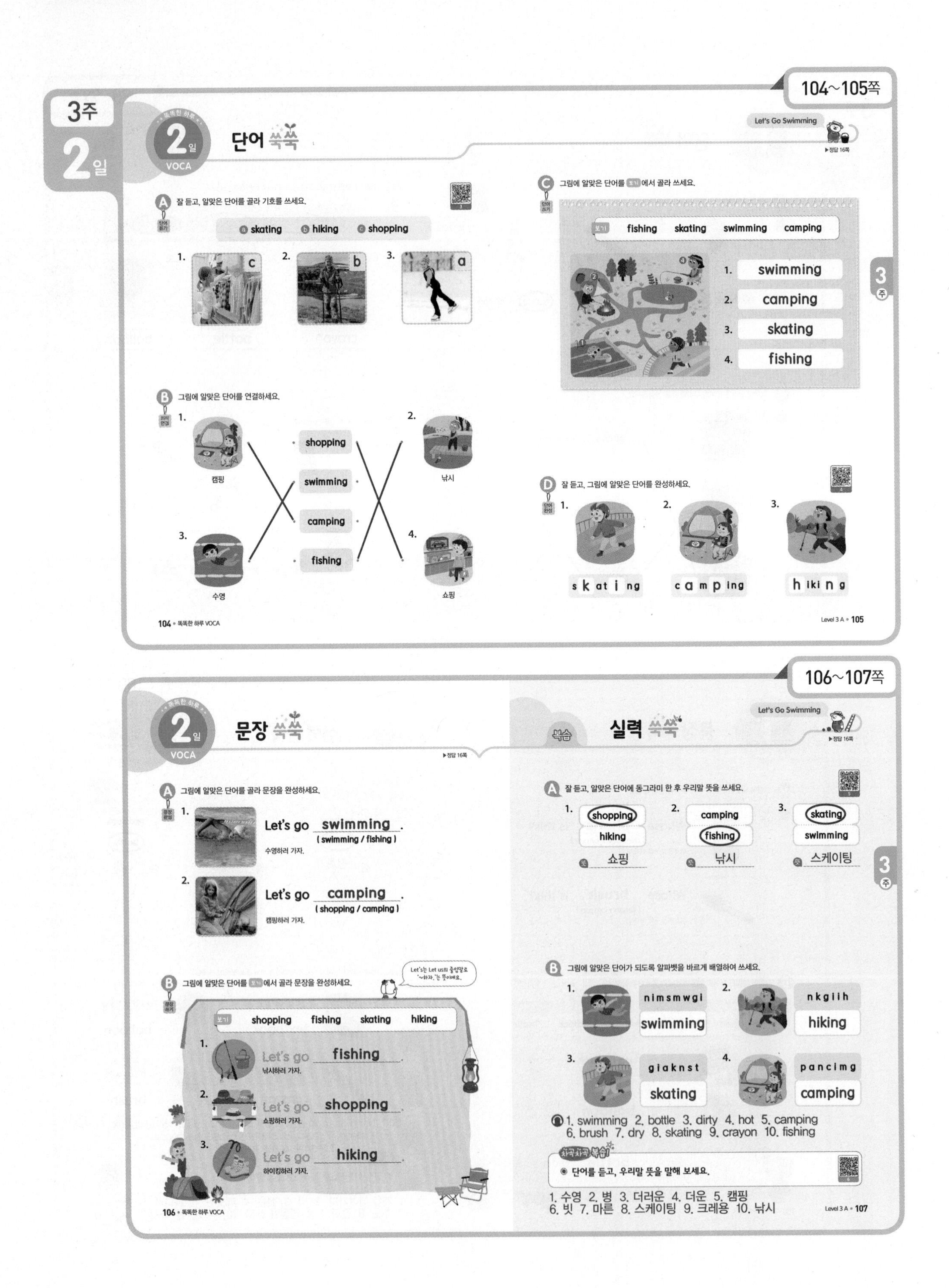

104~105쪽

3주 2일

2일 VOCA 단어 쑥쑥

Let's Go Swimming ▶정답 16쪽

A 잘 듣고, 알맞은 단어를 골라 기호를 쓰세요.

ⓐ skating ⓑ hiking ⓒ shopping

1. c 2. b 3. a

B 그림에 알맞은 단어를 연결하세요.

1. 캠핑 — camping
2. 낚시 — fishing
3. 수영 — swimming
4. 쇼핑 — shopping

C 그림에 알맞은 단어를 보기에서 골라 쓰세요.

보기 fishing skating swimming camping

1. swimming
2. camping
3. skating
4. fishing

D 잘 듣고, 그림에 알맞은 단어를 완성하세요.

1. skating 2. camping 3. hiking

104 • 똑똑한 하루 VOCA

Level 3 A • 105

106~107쪽

2일 VOCA 문장 쑥쑥

▶정답 16쪽

A 그림에 알맞은 단어를 골라 문장을 완성하세요.

1. Let's go swimming. (swimming / fishing)
수영하러 가자.

2. Let's go camping. (shopping / camping)
캠핑하러 가자.

B 그림에 알맞은 단어를 보기에서 골라 문장을 완성하세요.

Let's는 Let us의 줄임말로 '~하자.'는 뜻이에요.

보기 shopping fishing skating hiking

1. Let's go fishing.
낚시하러 가자.

2. Let's go shopping.
쇼핑하러 가자.

3. Let's go hiking.
하이킹하러 가자.

106 • 똑똑한 하루 VOCA

복습 실력 쑥쑥

Let's Go Swimming ▶정답 16쪽

A 잘 듣고, 알맞은 단어에 동그라미 한 후 우리말 뜻을 쓰세요.

1. (shopping) / hiking — 뜻 쇼핑
2. camping / (fishing) — 뜻 낚시
3. (skating) / swimming — 뜻 스케이팅

B 그림에 알맞은 단어가 되도록 알파벳을 바르게 배열하여 쓰세요.

1. nimsmwgi — swimming
2. nkgiih — hiking
3. giaknst — skating
4. pancimg — camping

1. swimming 2. bottle 3. dirty 4. hot 5. camping
6. brush 7. dry 8. skating 9. crayon 10. fishing

차곡차곡 복습

● 단어를 듣고, 우리말 뜻을 말해 보세요.

1. 수영 2. 병 3. 더러운 4. 더운 5. 캠핑
6. 빗 7. 마른 8. 스케이팅 9. 크레용 10. 낚시

Level 3 A • 107

3주 3일

110~111쪽

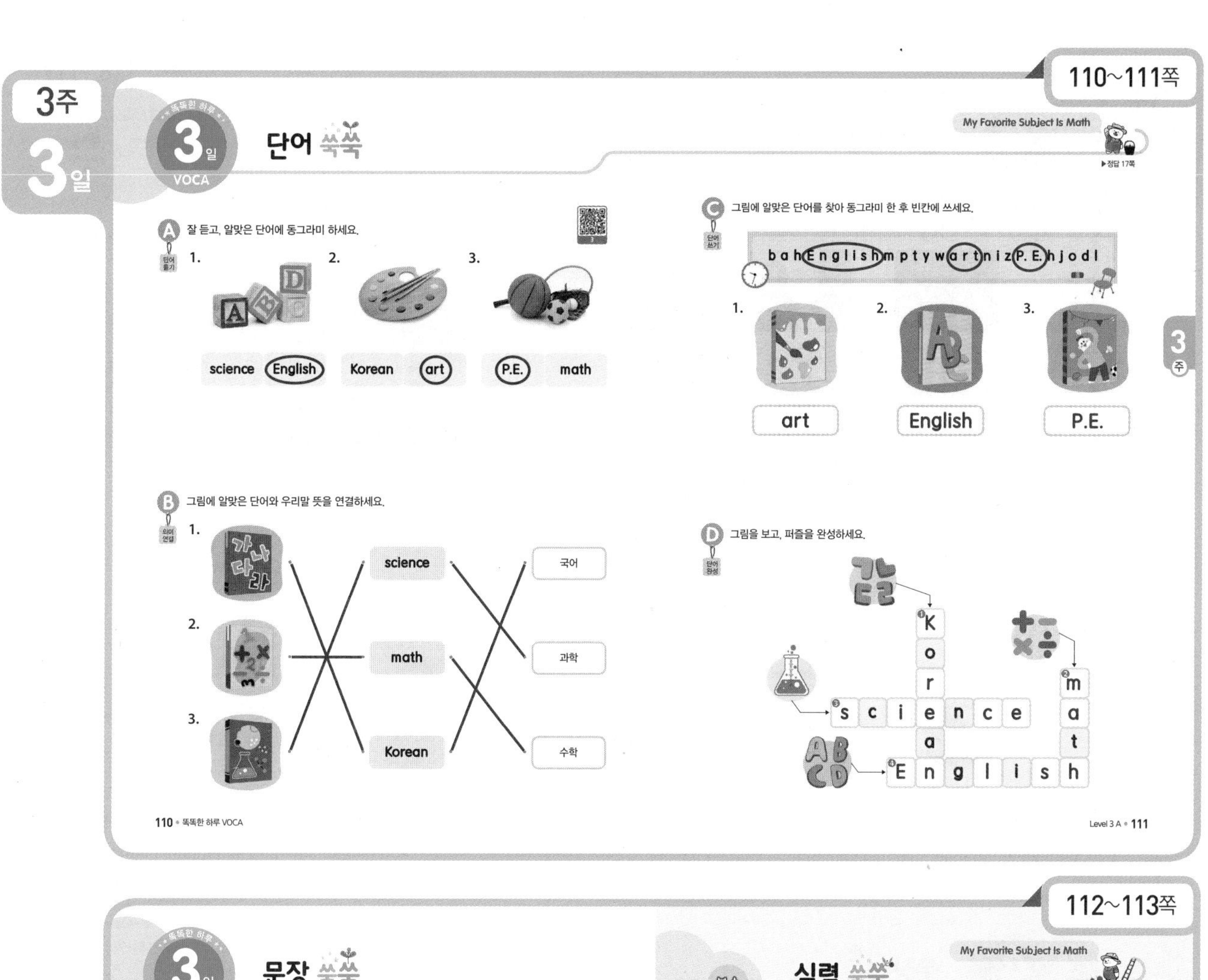

3일 VOCA 단어 쑥쑥

My Favorite Subject Is Math

▶정답 17쪽

A 잘 듣고, 알맞은 단어에 동그라미 하세요.

1. science (English)
2. Korean (art)
3. (P.E.) math

B 그림에 알맞은 단어와 우리말 뜻을 연결하세요.

1. science — 과학
2. math — 수학
3. Korean — 국어

C 그림에 알맞은 단어를 찾아 동그라미 한 후 빈칸에 쓰세요.

bah(English)mptyw(art)niz(P.E.)hjodl

1. art
2. English
3. P.E.

D 그림을 보고, 퍼즐을 완성하세요.

Korea, science, math, English

110 • 똑똑한 하루 VOCA

Level 3 A • 111

112~113쪽

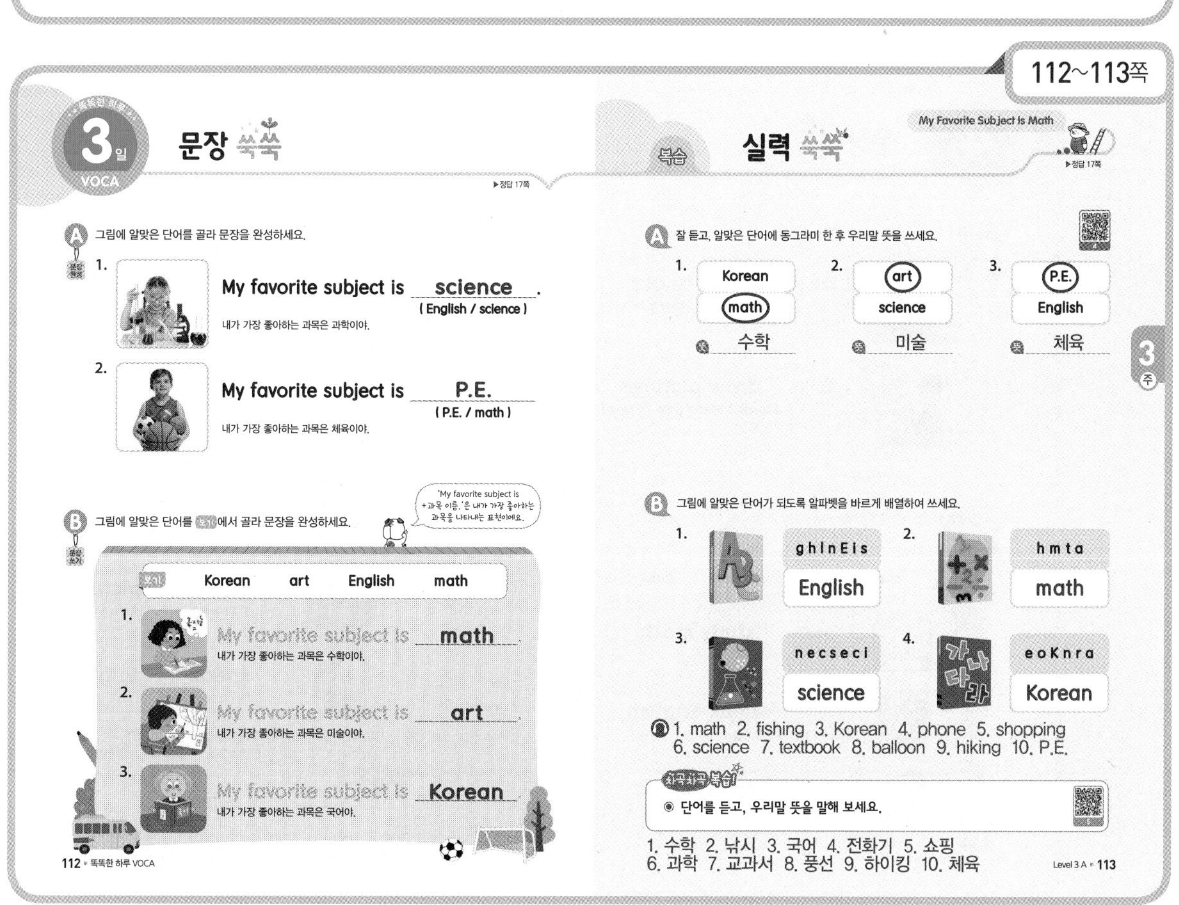

3일 VOCA 문장 쑥쑥

▶정답 17쪽

A 그림에 알맞은 단어를 골라 문장을 완성하세요.

1. My favorite subject is science. (English / science)
내가 가장 좋아하는 과목은 과학이야.
2. My favorite subject is P.E. (P.E. / math)
내가 가장 좋아하는 과목은 체육이야.

B 그림에 알맞은 단어를 보기에서 골라 문장을 완성하세요.

'My favorite subject is +과목 이름.'은 내가 가장 좋아하는 과목을 나타내는 표현이에요.

보기 Korean art English math

1. My favorite subject is math.
내가 가장 좋아하는 과목은 수학이야.
2. My favorite subject is art.
내가 가장 좋아하는 과목은 미술이야.
3. My favorite subject is Korean.
내가 가장 좋아하는 과목은 국어야.

112 • 똑똑한 하루 VOCA

복습 실력 쑥쑥

My Favorite Subject Is Math

▶정답 17쪽

A 잘 듣고, 알맞은 단어에 동그라미 한 후 우리말 뜻을 쓰세요.

1. Korean (math) 뜻 수학
2. (art) science 뜻 미술
3. (P.E.) English 뜻 체육

B 그림에 알맞은 단어가 되도록 알파벳을 바르게 배열하여 쓰세요.

1. ghlnEis — English
2. hmta — math
3. necseci — science
4. eoKnra — Korean

1. math 2. fishing 3. Korean 4. phone 5. shopping
6. science 7. textbook 8. balloon 9. hiking 10. P.E.

차곡차곡 복습

◉ 단어를 듣고, 우리말 뜻을 말해 보세요.

1. 수학 2. 낚시 3. 국어 4. 전화기 5. 쇼핑
6. 과학 7. 교과서 8. 풍선 9. 하이킹 10. 체육

Level 3 A • 113

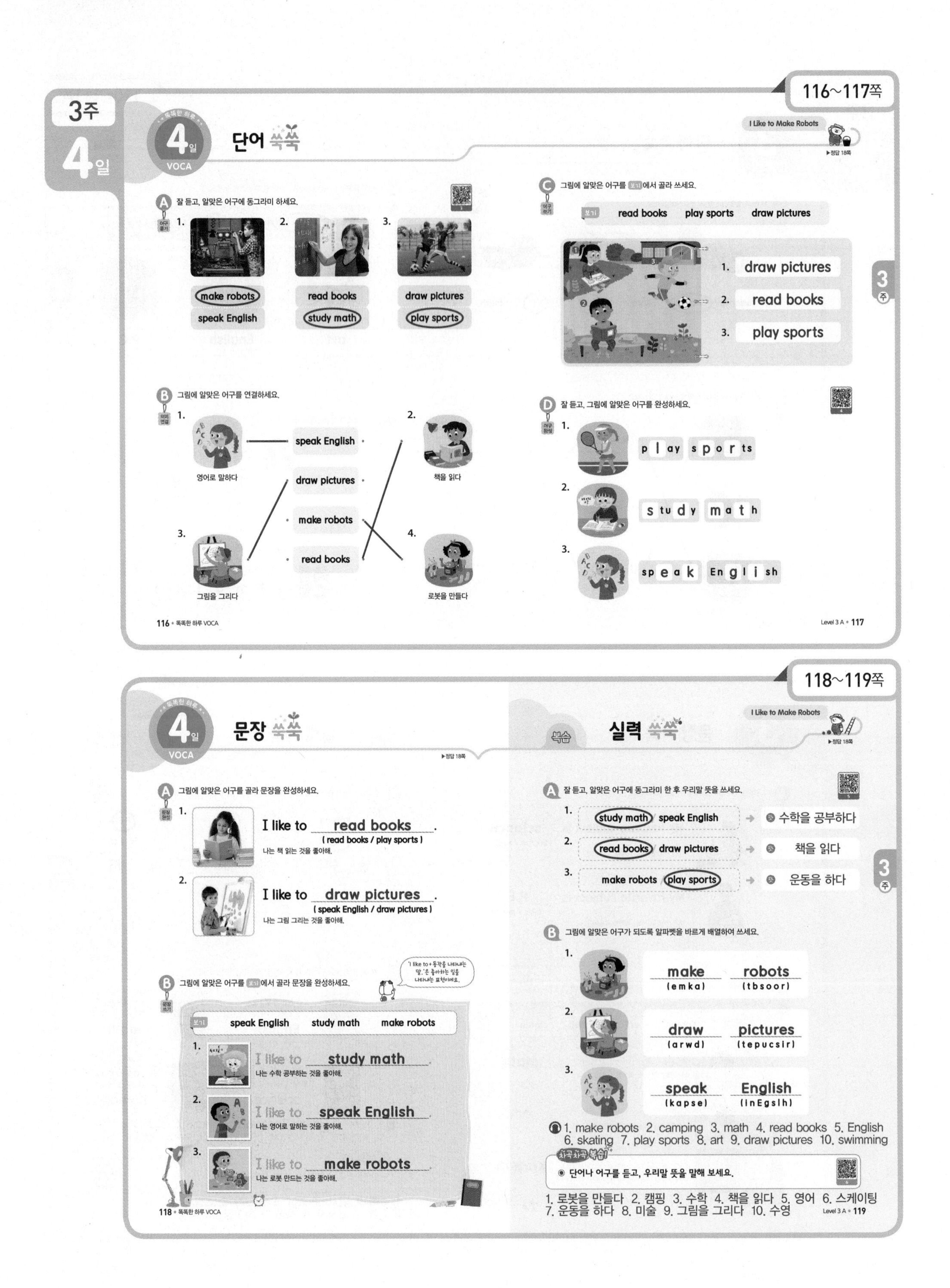
116~117쪽

3주 4일

4일 VOCA 단어 쑥쑥

I Like to Make Robots ▶정답 18쪽

A 잘 듣고, 알맞은 어구에 동그라미 하세요.

1. (make robots) / speak English
2. read books / (study math)
3. draw pictures / (play sports)

B 그림에 알맞은 어구를 연결하세요.

1. 영어로 말하다 — speak English
2. 책을 읽다 — read books
3. 그림을 그리다 — draw pictures
4. 로봇을 만들다 — make robots

C 그림에 알맞은 어구를 보기에서 골라 쓰세요.

보기: read books, play sports, draw pictures

1. draw pictures
2. read books
3. play sports

D 잘 듣고, 그림에 알맞은 어구를 완성하세요.

1. play sports
2. study math
3. speak English

116 • 똑똑한 하루 VOCA

Level 3 A • 117

118~119쪽

4일 VOCA 문장 쑥쑥 ▶정답 18쪽

A 그림에 알맞은 어구를 골라 문장을 완성하세요.

1. I like to read books. (read books / play sports)
나는 책 읽는 것을 좋아해.
2. I like to draw pictures. (speak English / draw pictures)
나는 그림 그리는 것을 좋아해.

B 그림에 알맞은 어구를 보기에서 골라 문장을 완성하세요.

'I like to+동작을 나타내는 말.'은 좋아하는 일을 나타내는 표현이에요.

보기: speak English, study math, make robots

1. I like to study math.
나는 수학 공부하는 것을 좋아해.
2. I like to speak English.
나는 영어로 말하는 것을 좋아해.
3. I like to make robots.
나는 로봇 만드는 것을 좋아해.

118 • 똑똑한 하루 VOCA

복습 실력 쑥쑥

I Like to Make Robots ▶정답 18쪽

A 잘 듣고, 알맞은 어구에 동그라미 한 후 우리말 뜻을 쓰세요.

1. (study math) speak English → 뜻 수학을 공부하다
2. (read books) draw pictures → 뜻 책을 읽다
3. make robots (play sports) → 뜻 운동을 하다

B 그림에 알맞은 어구가 되도록 알파벳을 바르게 배열하여 쓰세요.

1. make (emka) robots (tbsoor)
2. draw (arwd) pictures (tepucsir)
3. speak (kapse) English (inEgslh)

1. make robots 2. camping 3. math 4. read books 5. English 6. skating 7. play sports 8. art 9. draw pictures 10. swimming

차곡차곡 복습

● 단어나 어구를 듣고, 우리말 뜻을 말해 보세요.

1. 로봇을 만들다 2. 캠핑 3. 수학 4. 책을 읽다 5. 영어 6. 스케이팅 7. 운동을 하다 8. 미술 9. 그림을 그리다 10. 수영

Level 3 A • 119

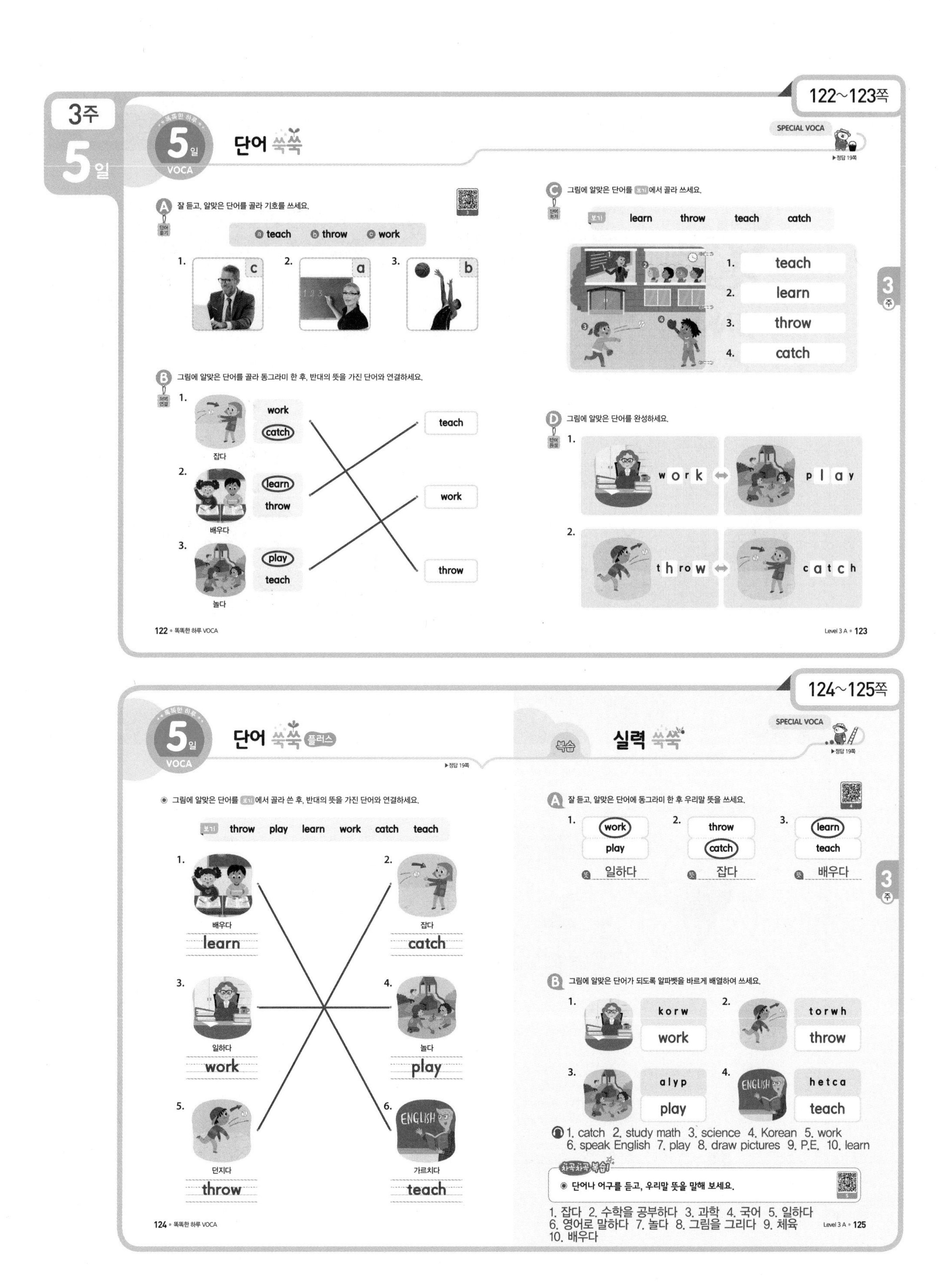

3주 5일

122~123쪽

똑똑한 하루 VOCA 5일 단어 쑥쑥

SPECIAL VOCA ▶정답 19쪽

A 잘 듣고, 알맞은 단어를 골라 기호를 쓰세요.

ⓐ teach ⓑ throw ⓒ work

1. c 2. a 3. b

B 그림에 알맞은 단어를 골라 동그라미 한 후, 반대의 뜻을 가진 단어와 연결하세요.

1. 잡다 work / (catch) — teach
2. 배우다 (learn) / throw — work
3. 놀다 (play) / teach — throw

C 그림에 알맞은 단어를 보기에서 골라 쓰세요.

보기 learn throw teach catch

1. teach
2. learn
3. throw
4. catch

D 그림에 알맞은 단어를 완성하세요.

1. work ⇔ play
2. throw ⇔ catch

122 • 똑똑한 하루 VOCA

Level 3 A • 123

124~125쪽

똑똑한 하루 VOCA 5일 단어 쑥쑥 플러스 ▶정답 19쪽

◉ 그림에 알맞은 단어를 보기에서 골라 쓴 후, 반대의 뜻을 가진 단어와 연결하세요.

보기 throw play learn work catch teach

1. 배우다 learn
2. 잡다 catch
3. 일하다 work
4. 놀다 play
5. 던지다 throw
6. 가르치다 teach

복습 실력 쑥쑥

SPECIAL VOCA ▶정답 19쪽

A 잘 듣고, 알맞은 단어에 동그라미 한 후 우리말 뜻을 쓰세요.

1. (work) / play 뜻 일하다
2. throw / (catch) 뜻 잡다
3. (learn) / teach 뜻 배우다

B 그림에 알맞은 단어가 되도록 알파벳을 바르게 배열하여 쓰세요.

1. korw — work
2. torwh — throw
3. alyp — play
4. hetca — teach

1. catch 2. study math 3. science 4. Korean 5. work 6. speak English 7. play 8. draw pictures 9. P.E. 10. learn

차곡차곡 복습!

◉ 단어나 어구를 듣고, 우리말 뜻을 말해 보세요.

1. 잡다 2. 수학을 공부하다 3. 과학 4. 국어 5. 일하다 6. 영어로 말하다 7. 놀다 8. 그림을 그리다 9. 체육 10. 배우다

124 • 똑똑한 하루 VOCA

Level 3 A • 125

3주 특강

126~127쪽

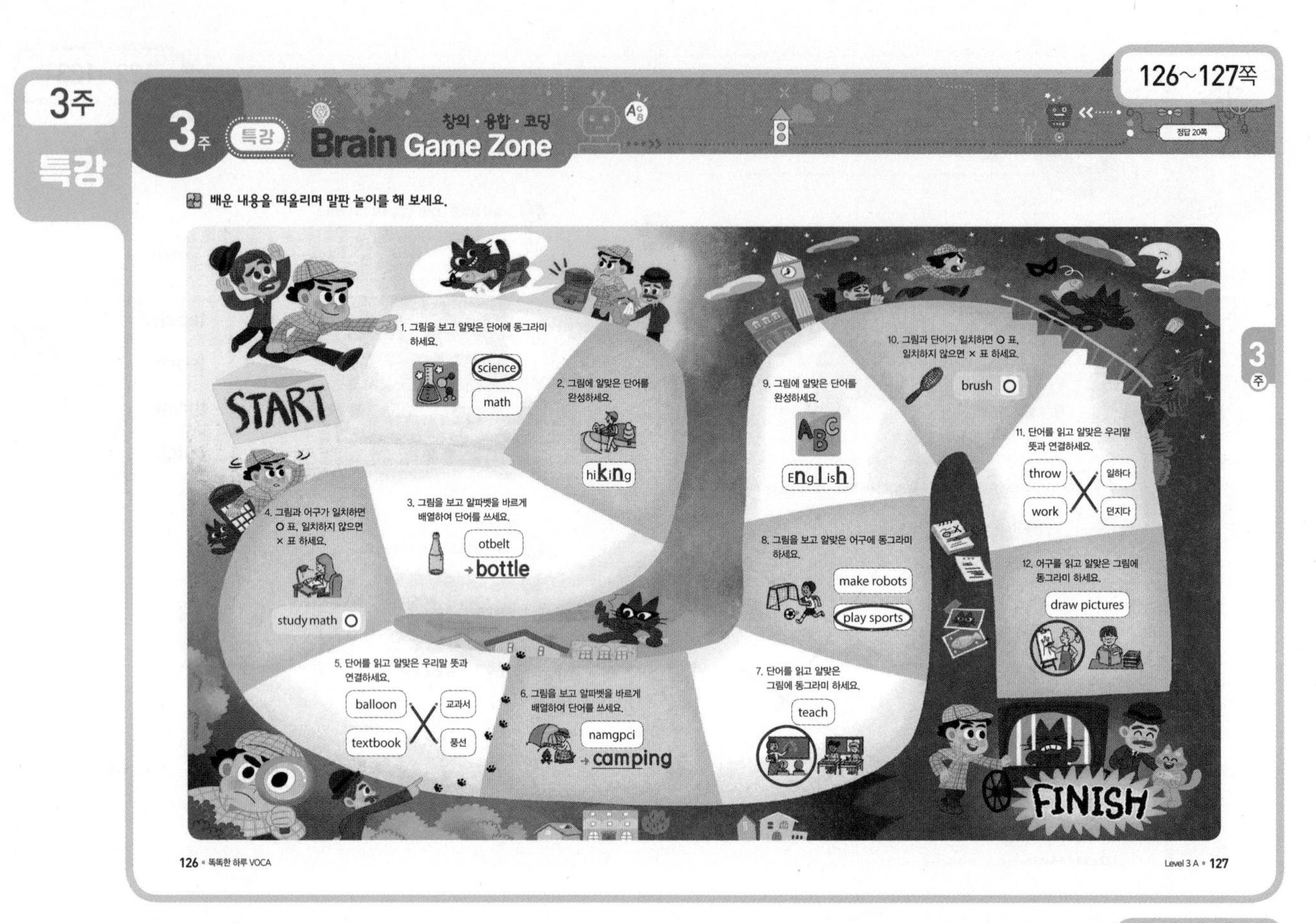

128~129쪽

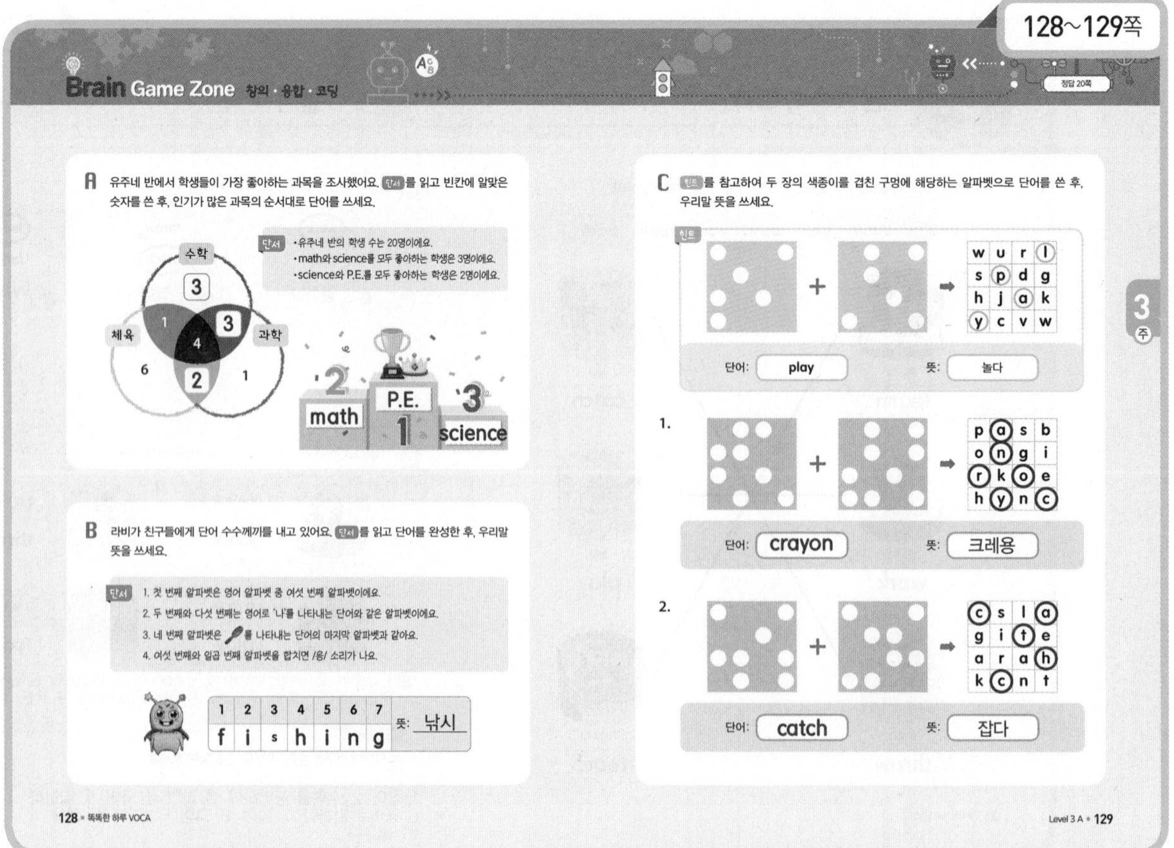

Brain Game Zone 창의 · 융합 · 코딩
A 유주네 반에서 학생들이 가장 좋아하는 과목을 조사했어요. 단서를 읽고 빈칸에 알맞은 숫자를 쓴 후, 인기가 많은 과목의 순서대로 단어를 쓰세요.
단서 • 유주네 반의 학생 수는 20명이에요.
• math와 science를 모두 좋아하는 학생은 3명이에요.
• science와 P.E.를 모두 좋아하는 학생은 2명이에요.
수학
체육
과학
3
1
3
4
6
2
1
2 math
1 P.E.
3 science
B 라비가 친구들에게 단어 수수께끼를 내고 있어요. 단서를 읽고 단어를 완성한 후, 우리말 뜻을 쓰세요.
단서 1. 첫 번째 알파벳은 영어 알파벳 중 여섯 번째 알파벳이에요.
2. 두 번째와 다섯 번째는 영어로 '나'를 나타내는 단어와 같은 알파벳이에요.
3. 네 번째 알파벳은 를 나타내는 단어의 마지막 알파벳과 같아요.
4. 여섯 번째와 일곱 번째 알파벳을 합치면 /응/ 소리가 나요.
1 2 3 4 5 6 7
f i s h i n g
뜻: 낚시
C 힌트를 참고하여 두 장의 색종이를 겹친 구멍에 해당하는 알파벳으로 단어를 쓴 후, 우리말 뜻을 쓰세요.
힌트
w u r l
s p d g
h j a k
y c v w
단어: play 뜻: 놀다
1.
p a s b
o n g i
r k o e
h y n c
단어: crayon 뜻: 크레용
2.
c s l a
g i t e
a r a h
k c n t
단어: catch 뜻: 잡다
128 • 똑똑한 하루 VOCA
Level 3 A • 129

130~131쪽

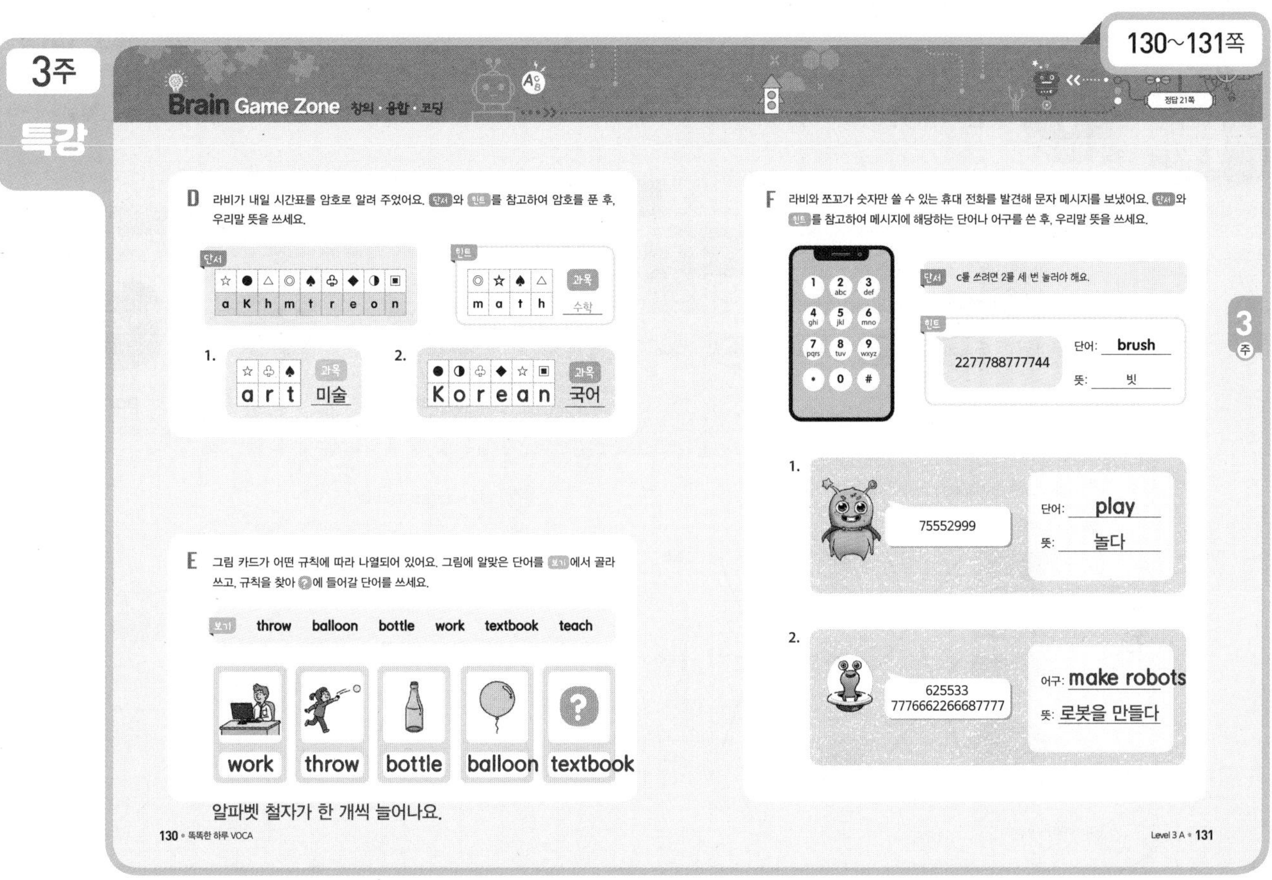

3주
특강
Brain Game Zone 창의 · 융합 · 코딩
D 라비가 내일 시간표를 암호로 알려 주었어요. 단서와 힌트를 참고하여 암호를 푼 후, 우리말 뜻을 쓰세요.
1. art 미술
2. Korean 국어
E 그림 카드가 어떤 규칙에 따라 나열되어 있어요. 그림에 알맞은 단어를 보기에서 골라 쓰고, 규칙을 찾아 ?에 들어갈 단어를 쓰세요.
보기 throw balloon bottle work textbook teach
work throw bottle balloon textbook
알파벳 철자가 한 개씩 늘어나요.
F 라비와 쪼꼬가 숫자만 쓸 수 있는 휴대 전화를 발견해 문자 메시지를 보냈어요. 단서와 힌트를 참고하여 메시지에 해당하는 단어나 어구를 쓴 후, 우리말 뜻을 쓰세요.
단서 c를 쓰려면 2를 세 번 눌러야 해요.
힌트 2277788777744 단어: brush 뜻: 빗
1. 75552999 단어: play 뜻: 놀다
2. 625533 7776662266687777 어구: make robots 뜻: 로봇을 만들다
130 똑똑한 하루 VOCA
Level 3 A 131

132~133쪽

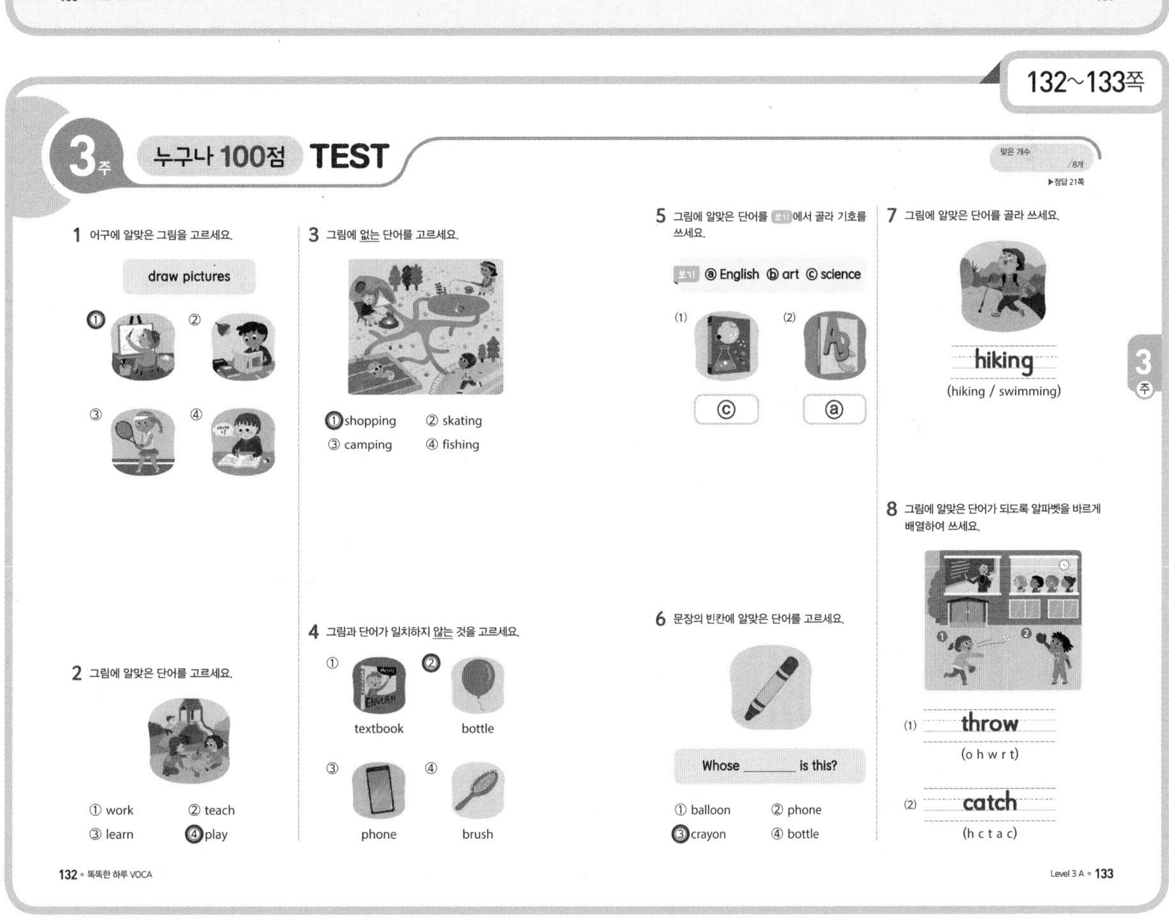

3주 누구나 100점 TEST
1 어구에 알맞은 그림을 고르세요.
draw pictures
①
2 그림에 알맞은 단어를 고르세요.
① work ② teach ③ learn ④play
3 그림에 없는 단어를 고르세요.
①shopping ② skating ③ camping ④ fishing
4 그림과 단어가 일치하지 않는 것을 고르세요.
① textbook ② bottle ③ phone ④ brush
5 그림에 알맞은 단어를 보기에서 골라 기호를 쓰세요.
보기 ⓐ English ⓑ art ⓒ science
(1) ⓒ (2) ⓐ
6 문장의 빈칸에 알맞은 단어를 고르세요.
Whose ______ is this?
① balloon ② phone ③crayon ④ bottle
7 그림에 알맞은 단어를 골라 쓰세요.
hiking
(hiking / swimming)
8 그림에 알맞은 단어가 되도록 알파벳을 바르게 배열하여 쓰세요.
(1) throw (o h w r t)
(2) catch (h c t a c)
132 똑똑한 하루 VOCA
Level 3 A 133

4주 1일

140~141쪽

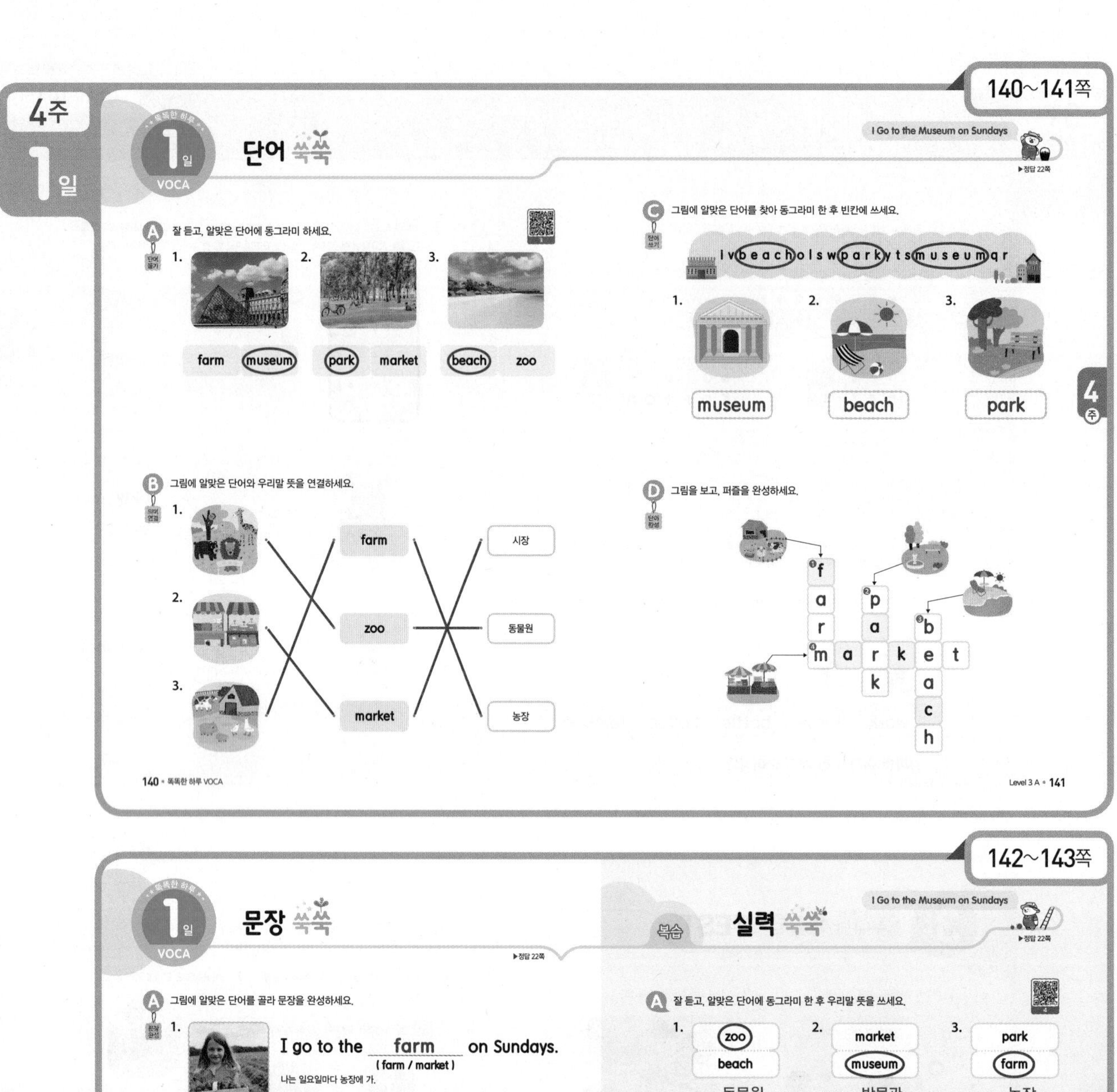

단어 쑥쑥
I Go to the Museum on Sundays
▶정답 22쪽
A 잘 듣고, 알맞은 단어에 동그라미 하세요.
farm museum park market beach zoo
B 그림에 알맞은 단어와 우리말 뜻을 연결하세요.
farm zoo market
시장 동물원 농장
C 그림에 알맞은 단어를 찾아 동그라미 한 후 빈칸에 쓰세요.
museum beach park
D 그림을 보고, 퍼즐을 완성하세요.
140 • 똑똑한 하루 VOCA
Level 3 A • 141

142~143쪽

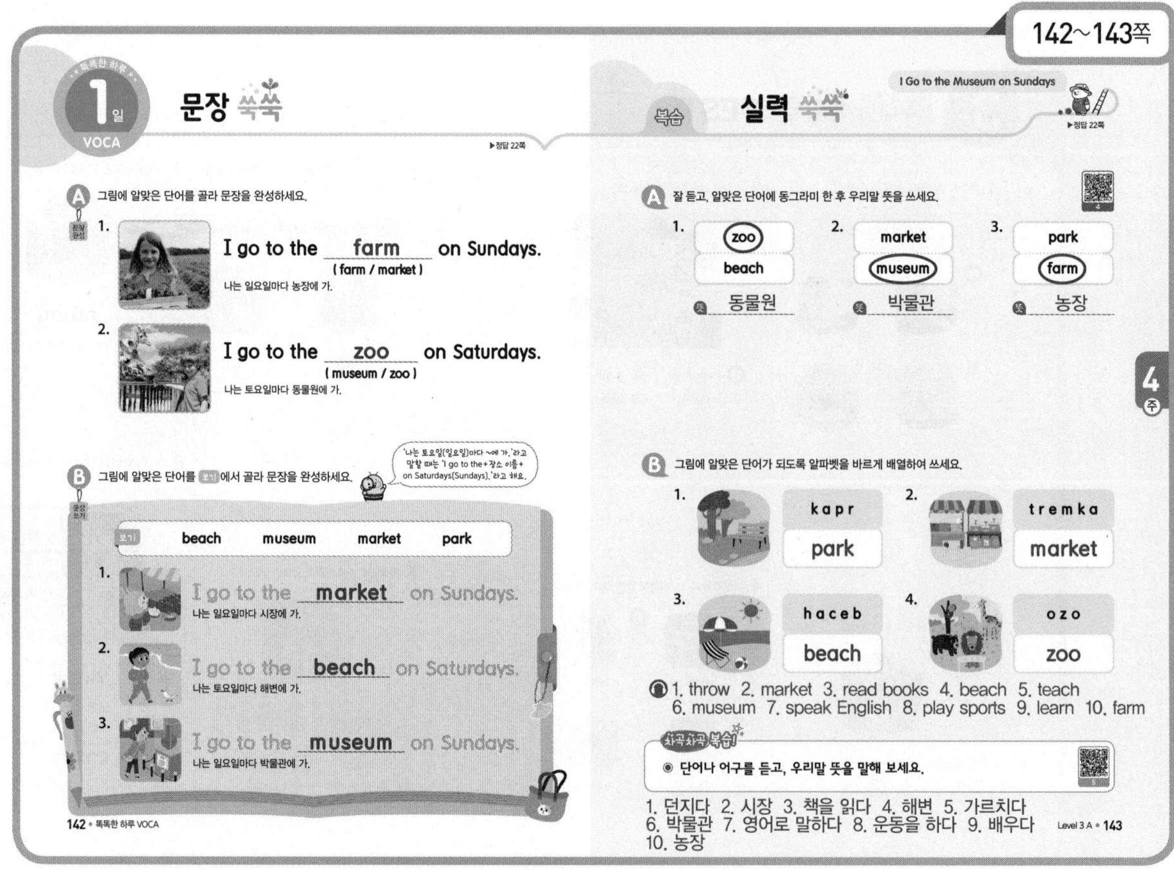

문장 쑥쑥
▶정답 22쪽
A 그림에 알맞은 단어를 골라 문장을 완성하세요.
I go to the farm on Sundays.
(farm / market)
나는 일요일마다 농장에 가.
I go to the zoo on Saturdays.
(museum / zoo)
나는 토요일마다 동물원에 가.
B 그림에 알맞은 단어를 보기에서 골라 문장을 완성하세요.
보기 beach museum market park
I go to the market on Sundays.
나는 일요일마다 시장에 가.
I go to the beach on Saturdays.
나는 토요일마다 해변에 가.
I go to the museum on Sundays.
나는 일요일마다 박물관에 가.
142 • 똑똑한 하루 VOCA
복습 실력 쑥쑥
A 잘 듣고, 알맞은 단어에 동그라미 한 후 우리말 뜻을 쓰세요.
zoo beach 동물원
market museum 박물관
park farm 농장
B 그림에 알맞은 단어가 되도록 알파벳을 바르게 배열하여 쓰세요.
kapr park
tremka market
haceb beach
ozo zoo

1. throw 2. market 3. read books 4. beach 5. teach
6. museum 7. speak English 8. play sports 9. learn 10. farm

차곡차곡 복습
◉ 단어나 어구를 듣고, 우리말 뜻을 말해 보세요.

1. 던지다 2. 시장 3. 책을 읽다 4. 해변 5. 가르치다
6. 박물관 7. 영어로 말하다 8. 운동을 하다 9. 배우다
10. 농장

Level 3 A • 143

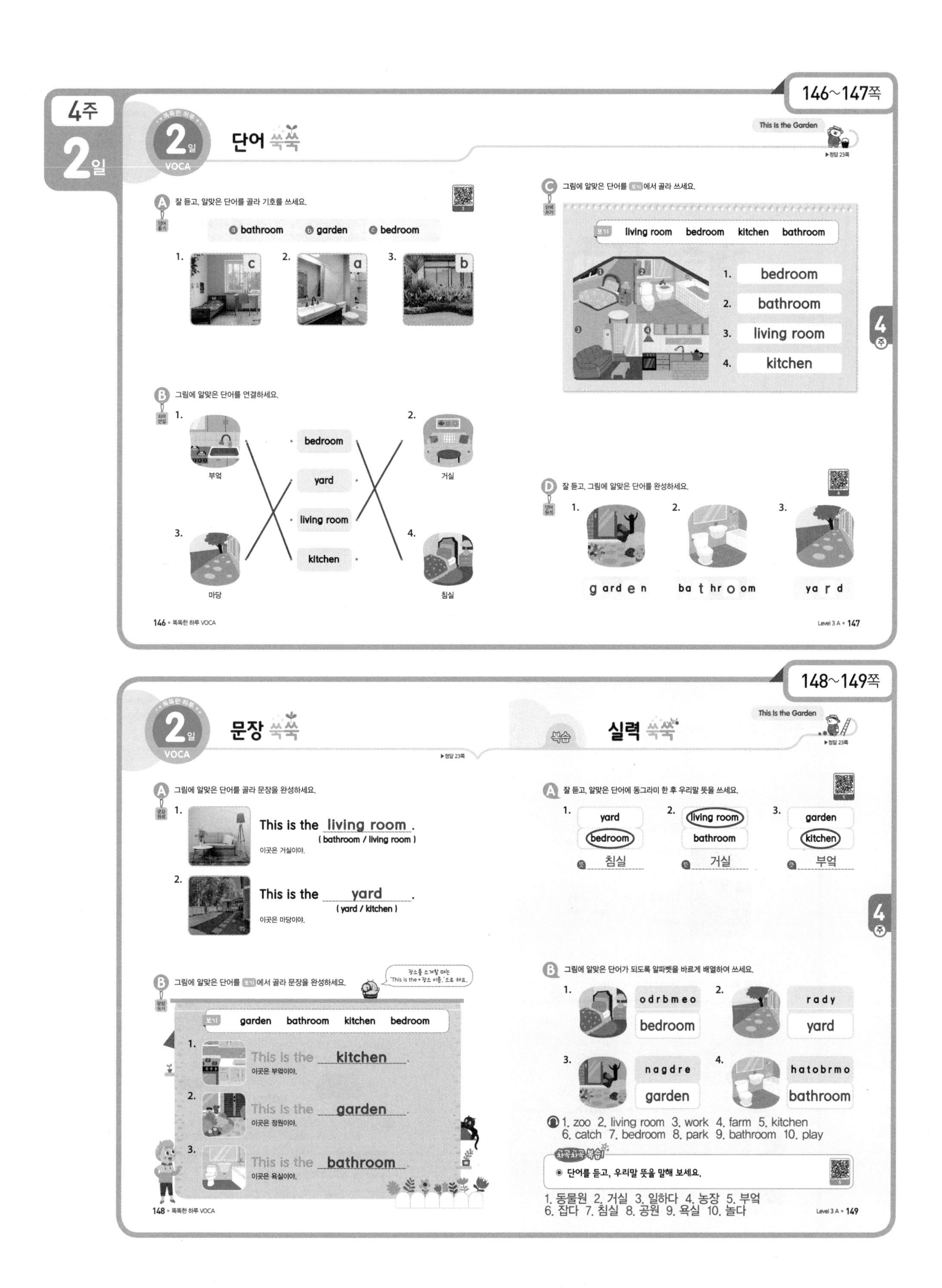

146~147쪽

4주 2일

2일 VOCA 단어 쑥쑥

This is the Garden

▶정답 23쪽

A 잘 듣고, 알맞은 단어를 골라 기호를 쓰세요.

ⓐ bathroom ⓑ garden ⓒ bedroom

1. c 2. a 3. b

B 그림에 알맞은 단어를 연결하세요.

1. 부엌 2. 거실 3. 마당 4. 침실

bedroom yard living room kitchen

C 그림에 알맞은 단어를 보기에서 골라 쓰세요.

보기 living room bedroom kitchen bathroom

1. bedroom
2. bathroom
3. living room
4. kitchen

D 잘 듣고, 그림에 알맞은 단어를 완성하세요.

1. g ard e n 2. ba t hr o om 3. ya r d

146 • 똑똑한 하루 VOCA

Level 3 A • 147

148~149쪽

2일 VOCA 문장 쑥쑥

▶정답 23쪽

A 그림에 알맞은 단어를 골라 문장을 완성하세요.

1. This is the living room. (bathroom / living room)
이곳은 거실이야.

2. This is the yard. (yard / kitchen)
이곳은 마당이야.

B 그림에 알맞은 단어를 보기에서 골라 문장을 완성하세요.

장소를 소개할 때는 'This is the + 장소 이름.'으로 해요.

보기 garden bathroom kitchen bedroom

1. This is the kitchen.
이곳은 부엌이야.

2. This is the garden.
이곳은 정원이야.

3. This is the bathroom.
이곳은 욕실이야.

148 • 똑똑한 하루 VOCA

복습 실력 쑥쑥

This is the Garden

▶정답 23쪽

A 잘 듣고, 알맞은 단어에 동그라미 한 후 우리말 뜻을 쓰세요.

1. yard (bedroom) 뜻 침실
2. (living room) bathroom 뜻 거실
3. garden (kitchen) 뜻 부엌

B 그림에 알맞은 단어가 되도록 알파벳을 바르게 배열하여 쓰세요.

1. odrbmeo — bedroom
2. rady — yard
3. nagdre — garden
4. hatobrmo — bathroom

1. zoo 2. living room 3. work 4. farm 5. kitchen
6. catch 7. bedroom 8. park 9. bathroom 10. play

차곡차곡 복습!

◉ 단어를 듣고, 우리말 뜻을 말해 보세요.

1. 동물원 2. 거실 3. 일하다 4. 농장 5. 부엌
6. 잡다 7. 침실 8. 공원 9. 욕실 10. 놀다

Level 3 A • 149

152~153쪽

4주 3일

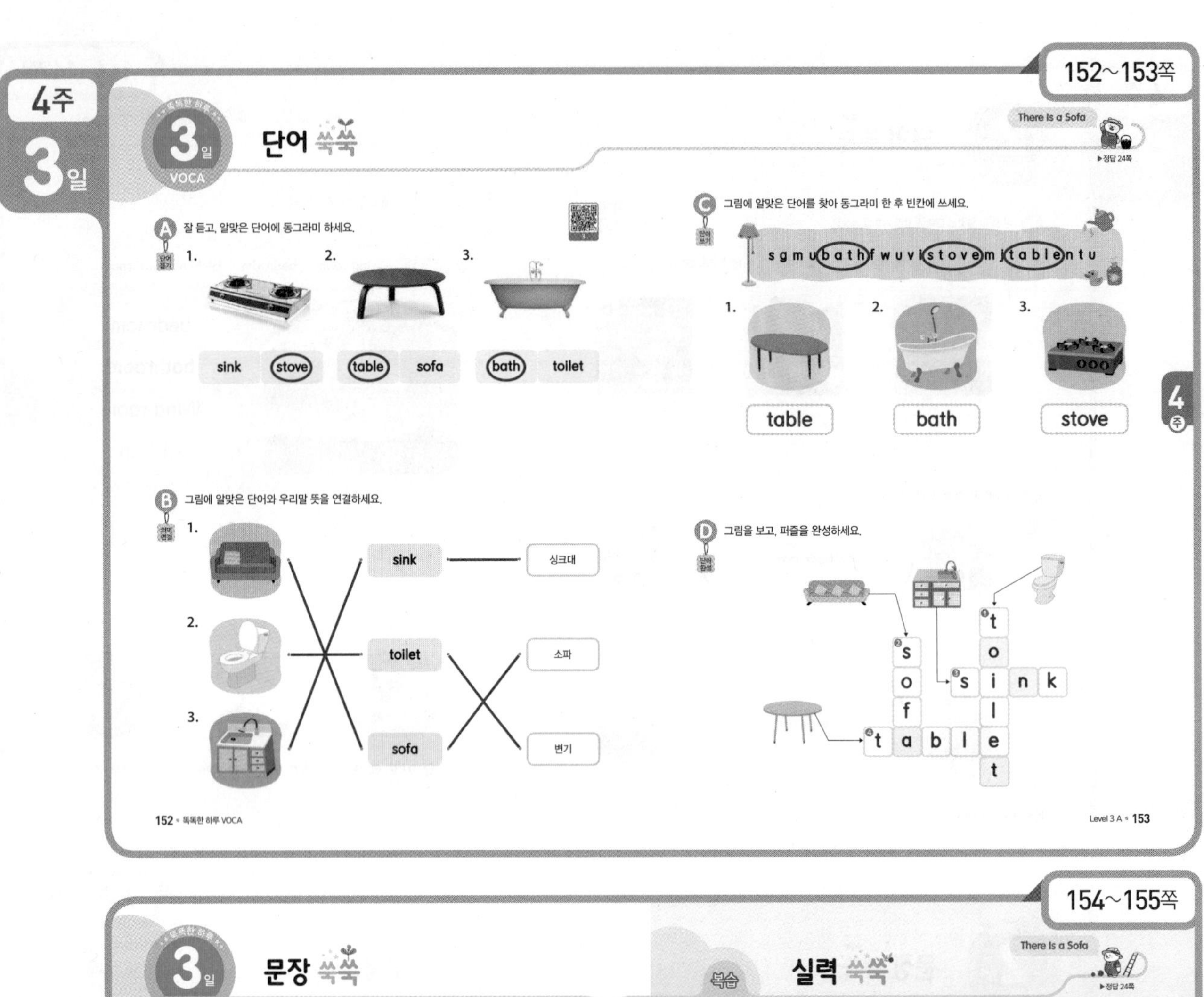

단어 쑥쑥
There is a Sofa
▶정답 24쪽
A 잘 듣고, 알맞은 단어에 동그라미 하세요.
1. sink (stove)
2. (table) sofa
3. (bath) toilet
B 그림에 알맞은 단어와 우리말 뜻을 연결하세요.
sink
toilet
sofa
싱크대
소파
변기
C 그림에 알맞은 단어를 찾아 동그라미 한 후 빈칸에 쓰세요.
s g m u (b a t h) f w u v k (s t o v e) m j (t a b l e) n t u
1. table
2. bath
3. stove
D 그림을 보고, 퍼즐을 완성하세요.
sofa
toilet
sink
table
152 • 똑똑한 하루 VOCA
Level 3 A • 153

154~155쪽

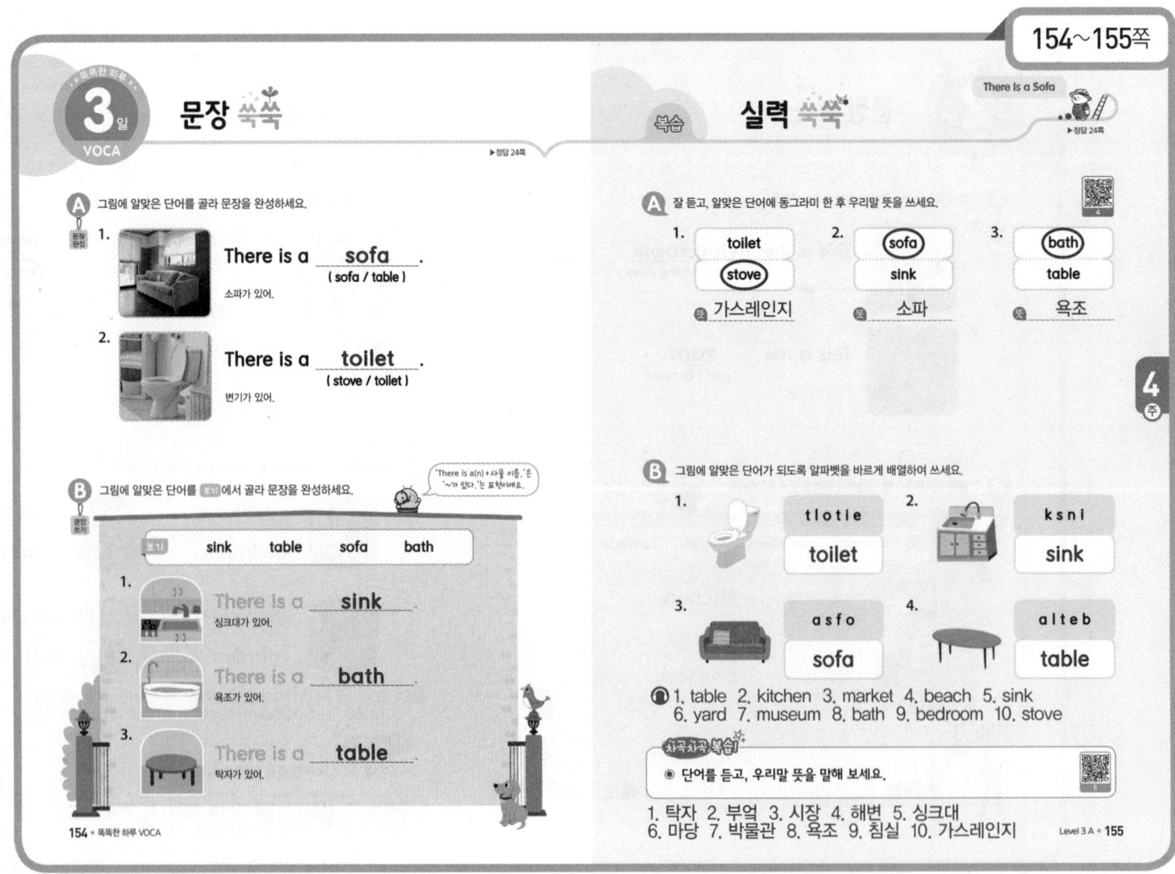

문장 쑥쑥
▶정답 24쪽
A 그림에 알맞은 단어를 골라 문장을 완성하세요.
1. There is a sofa. (sofa / table)
소파가 있어.
2. There is a toilet. (stove / toilet)
변기가 있어.
B 그림에 알맞은 단어를 보기에서 골라 문장을 완성하세요.
보기 sink table sofa bath
1. There is a sink.
싱크대가 있어.
2. There is a bath.
욕조가 있어.
3. There is a table.
탁자가 있어.
154 • 똑똑한 하루 VOCA
복습 실력 쑥쑥
There is a Sofa
▶정답 24쪽
A 잘 듣고, 알맞은 단어에 동그라미 한 후 우리말 뜻을 쓰세요.
1. toilet (stove) 뜻 가스레인지
2. (sofa) sink 뜻 소파
3. (bath) table 뜻 욕조
B 그림에 알맞은 단어가 되도록 알파벳을 바르게 배열하여 쓰세요.
1. tlotie toilet
2. ksni sink
3. asfo sofa
4. alteb table
1. table 2. kitchen 3. market 4. beach 5. sink
6. yard 7. museum 8. bath 9. bedroom 10. stove
차곡차곡 복습
단어를 듣고, 우리말 뜻을 말해 보세요.
1. 탁자 2. 부엌 3. 시장 4. 해변 5. 싱크대
6. 마당 7. 박물관 8. 욕조 9. 침실 10. 가스레인지
Level 3 A • 155

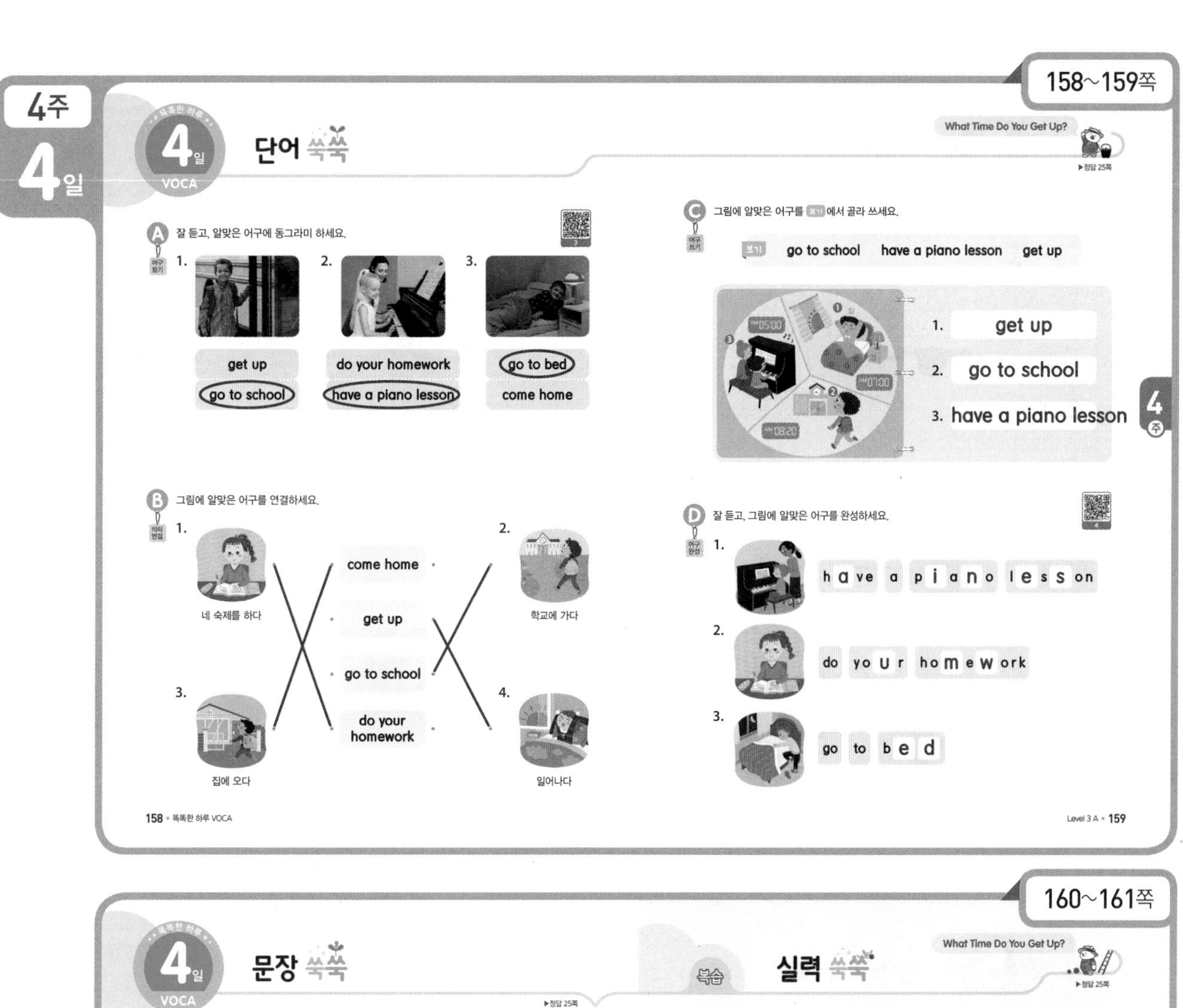

4주 4일

158~159쪽

4일 VOCA 단어 쑥쑥

What Time Do You Get Up?

▶정답 25쪽

A 잘 듣고, 알맞은 어구에 동그라미 하세요.

1. get up / (go to school)
2. do your homework / (have a piano lesson)
3. (go to bed) / come home

B 그림에 알맞은 어구를 연결하세요.

1. 네 숙제를 하다 — do your homework
2. 학교에 가다 — go to school
3. 집에 오다 — come home
4. 일어나다 — get up

C 그림에 알맞은 어구를 보기에서 골라 쓰세요.

보기: go to school / have a piano lesson / get up

1. get up
2. go to school
3. have a piano lesson

D 잘 듣고, 그림에 알맞은 어구를 완성하세요.

1. have a piano lesson
2. do your homework
3. go to bed

158 • 똑똑한 하루 VOCA

Level 3 A • 159

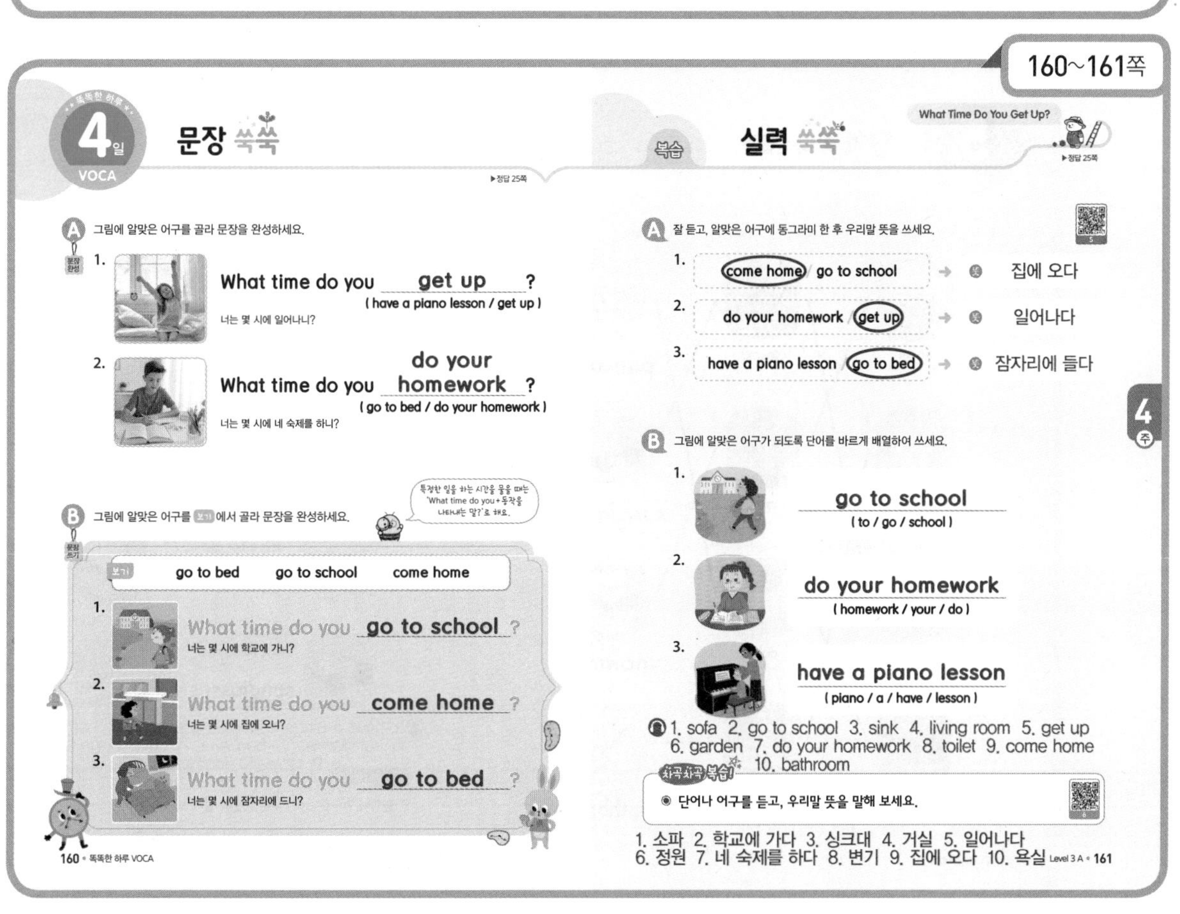

160~161쪽

4일 VOCA 문장 쑥쑥

▶정답 25쪽

A 그림에 알맞은 어구를 골라 문장을 완성하세요.

1. What time do you get up ? (have a piano lesson / get up)
너는 몇 시에 일어나니?
2. What time do you do your homework ? (go to bed / do your homework)
너는 몇 시에 네 숙제를 하니?

B 그림에 알맞은 어구를 보기에서 골라 문장을 완성하세요.

특정한 일을 하는 시간을 물을 때는 'What time do you + 동작을 나타내는 말?'로 해요.

보기: go to bed / go to school / come home

1. What time do you go to school ?
너는 몇 시에 학교에 가니?
2. What time do you come home ?
너는 몇 시에 집에 오니?
3. What time do you go to bed ?
너는 몇 시에 잠자리에 드니?

160 • 똑똑한 하루 VOCA

복습 실력 쑥쑥

What Time Do You Get Up?

▶정답 25쪽

A 잘 듣고, 알맞은 어구에 동그라미 한 후 우리말 뜻을 쓰세요.

1. (come home) / go to school → 집에 오다
2. do your homework / (get up) → 일어나다
3. have a piano lesson / (go to bed) → 잠자리에 들다

B 그림에 알맞은 어구가 되도록 단어를 바르게 배열하여 쓰세요.

1. go to school (to / go / school)
2. do your homework (homework / your / do)
3. have a piano lesson (piano / a / have / lesson)

1. sofa 2. go to school 3. sink 4. living room 5. get up 6. garden 7. do your homework 8. toilet 9. come home 10. bathroom

차곡차곡 복습

단어나 어구를 듣고, 우리말 뜻을 말해 보세요.

1. 소파 2. 학교에 가다 3. 싱크대 4. 거실 5. 일어나다 6. 정원 7. 네 숙제를 하다 8. 변기 9. 집에 오다 10. 욕실

Level 3 A • 161

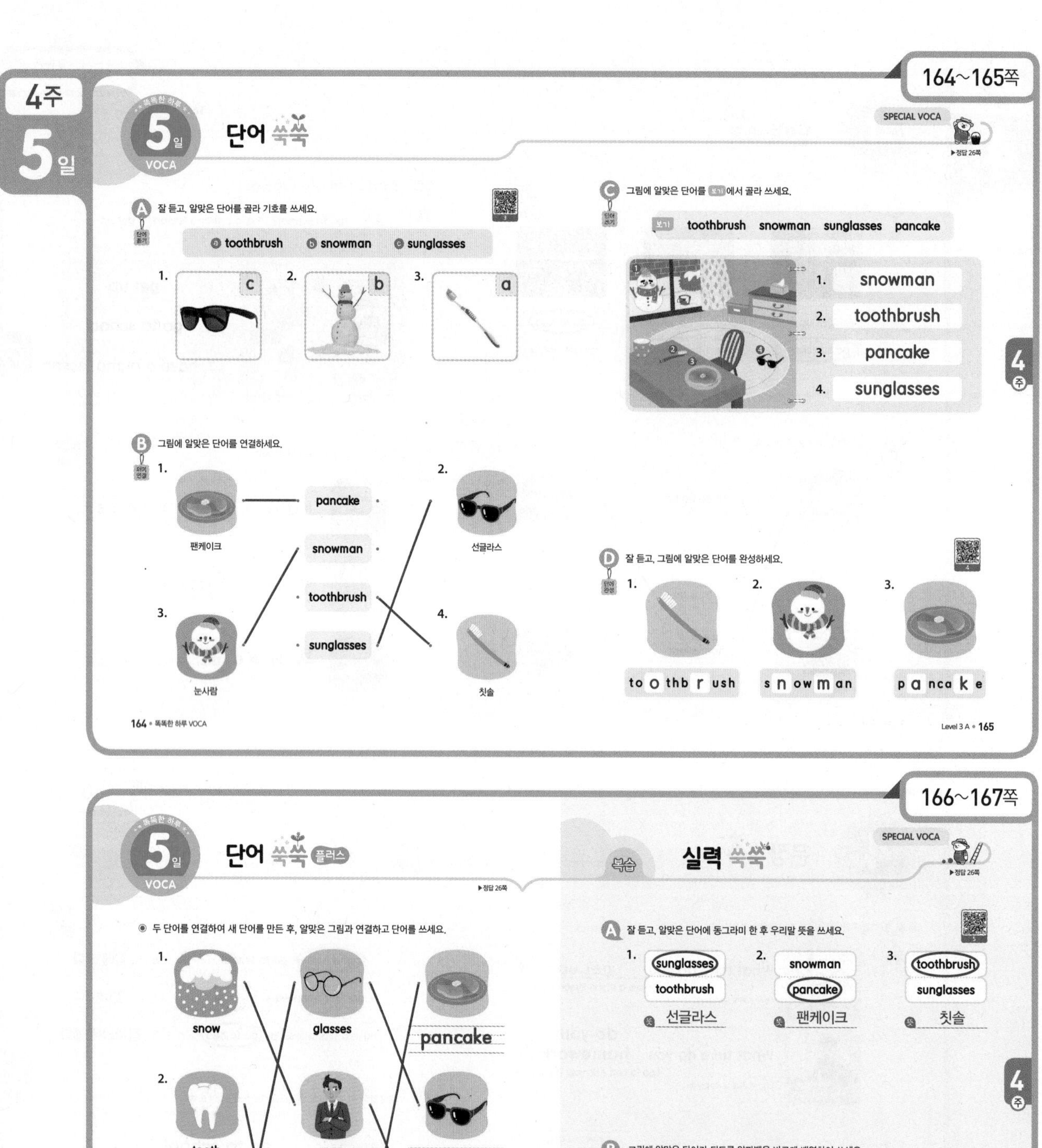
164~165쪽
4주
5일
5일 VOCA 단어 쑥쑥
SPECIAL VOCA
▶정답 26쪽
A 잘 듣고, 알맞은 단어를 골라 기호를 쓰세요.
ⓐ toothbrush ⓑ snowman ⓒ sunglasses
1. c 2. b 3. a
B 그림에 알맞은 단어를 연결하세요.
1. 팬케이크 — pancake
2. 선글라스 — sunglasses
3. 눈사람 — snowman
4. 칫솔 — toothbrush
C 그림에 알맞은 단어를 보기에서 골라 쓰세요.
보기 toothbrush snowman sunglasses pancake
1. snowman
2. toothbrush
3. pancake
4. sunglasses
D 잘 듣고, 그림에 알맞은 단어를 완성하세요.
1. to o thb r ush
2. s n ow m an
3. p a nca k e
164 • 똑똑한 하루 VOCA
Level 3 A • 165

166~167쪽

5일 VOCA 단어 쑥쑥 플러스

▶정답 26쪽

◉ 두 단어를 연결하여 새 단어를 만든 후, 알맞은 그림과 연결하고 단어를 쓰세요.

1. snow — man → snowman
2. tooth — brush → toothbrush
3. sun — glasses → sunglasses
4. pan — cake → pancake

복습 실력 쑥쑥

SPECIAL VOCA

▶정답 26쪽

A 잘 듣고, 알맞은 단어에 동그라미 한 후 우리말 뜻을 쓰세요.

1. (sunglasses) toothbrush — 뜻 선글라스
2. snowman (pancake) — 뜻 팬케이크
3. (toothbrush) sunglasses — 뜻 칫솔

B 그림에 알맞은 단어가 되도록 알파벳을 바르게 배열하여 쓰세요.

1. kaepcna — pancake
2. nsmonwa — snowman
3. egsaslusns — sunglasses
4. srhotthuob — toothbrush

1. have a piano lesson 2. snowman 3. bath 4. come home 5. sunglasses 6. pancake 7. stove 8. go to bed 9. table 10. toothbrush

차곡차곡 복습!

◉ 단어나 어구를 듣고, 우리말 뜻을 말해 보세요.

1. 피아노 수업이 있다 2. 눈사람 3. 욕조 4. 집에 오다 5. 선글라스 6. 팬케이크 7. 가스레인지 8. 잠자리에 들다 9. 탁자 10. 칫솔

정답

4주
특강
168~169쪽
4주 특강 Brain Game Zone 창의 · 융합 · 코딩
배운 내용을 떠올리며 말판 놀이를 해 보세요.
START
1. 어구를 읽고 알맞은 그림에 동그라미 하세요.
have a piano lesson
2. 그림을 보고 알파벳을 바르게 배열하여 단어를 쓰세요.
nmwanso
snowman
3. 그림과 단어가 일치하면 ○ 표, 일치하지 않으면 × 표 하세요.
yard ×
4. 그림에 알맞은 어구를 완성하세요.
go to bed
5. 단어를 읽고 알맞은 그림에 동그라미 하세요.
museum
6. 그림과 단어가 일치하면 ○ 표, 일치하지 않으면 × 표 하세요.
stove ○
7. 그림을 보고 알파벳을 바르게 배열하여 단어를 쓰세요.
ehabc
beach
8. 복합어가 되도록 두 단어를 연결하세요.
sun brush
tooth glasses
9. 그림을 보고 알맞은 단어에 동그라미 하세요.
table
sofa
10. 그림에 알맞은 단어를 완성하세요.
bathroom
11. 단어를 읽고 알맞은 우리말 뜻과 연결하세요.
market 농장
farm 시장
12. 그림을 보고 알맞은 어구에 동그라미 하세요.
get up
go to school
FINISH
168 • 똑똑한 하루 VOCA
Level 3 A • 169

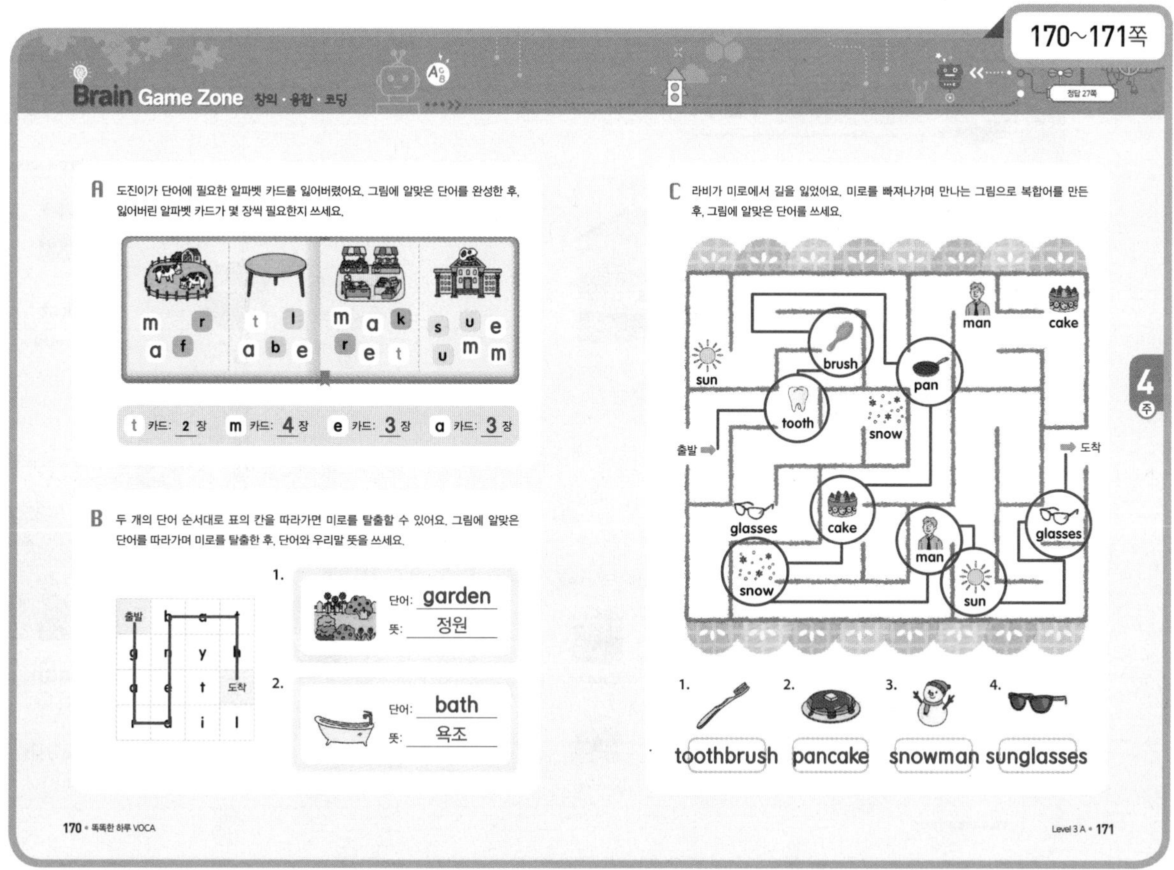
170~171쪽
Brain Game Zone 창의 · 융합 · 코딩
A 도진이가 단어에 필요한 알파벳 카드를 잃어버렸어요. 그림에 알맞은 단어를 완성한 후, 잃어버린 알파벳 카드가 몇 장씩 필요한지 쓰세요.
t 카드: 2 장
m 카드: 4 장
e 카드: 3 장
a 카드: 3 장
B 두 개의 단어 순서대로 표의 칸을 따라가면 미로를 탈출할 수 있어요. 그림에 알맞은 단어를 따라가며 미로를 탈출한 후, 단어와 우리말 뜻을 쓰세요.
출발
도착
1. 단어: garden
뜻: 정원
2. 단어: bath
뜻: 욕조
C 라비가 미로에서 길을 잃었어요. 미로를 빠져나가며 만나는 그림으로 복합어를 만든 후, 그림에 알맞은 단어를 쓰세요.
출발
도착
sun
brush
pan
tooth
snow
man
cake
glasses
1. toothbrush
2. pancake
3. snowman
4. sunglasses
170 • 똑똑한 하루 VOCA
Level 3 A • 171

172~173쪽

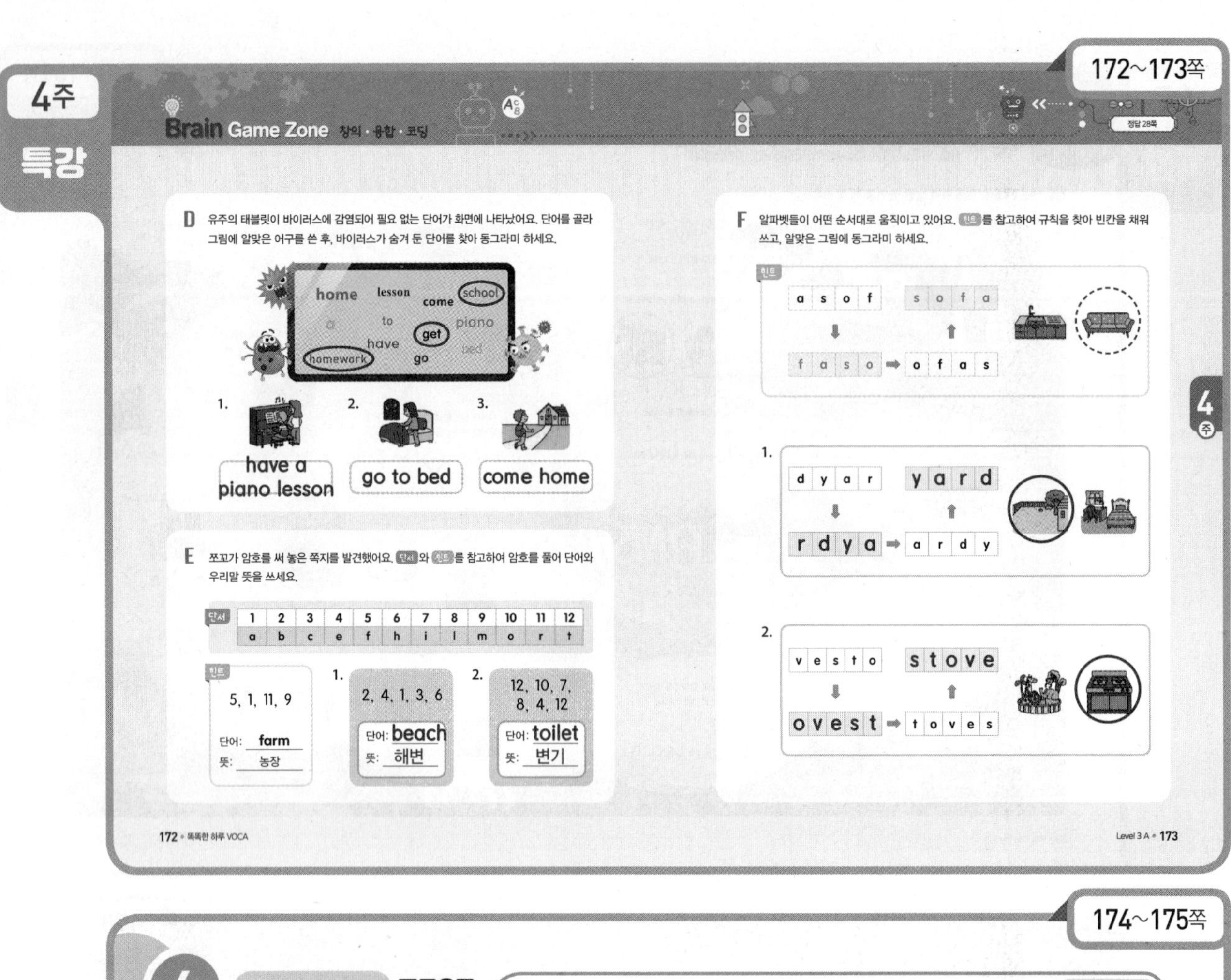
4주
특강
Brain Game Zone 창의 · 융합 · 코딩
D 유주의 태블릿이 바이러스에 감염되어 필요 없는 단어가 화면에 나타났어요. 단어를 골라 그림에 알맞은 어구를 쓴 후, 바이러스가 숨겨 둔 단어를 찾아 동그라미 하세요.
1. have a piano lesson
2. go to bed
3. come home
E 쪼꼬가 암호를 써 놓은 쪽지를 발견했어요. 단서와 힌트를 참고하여 암호를 풀어 단어와 우리말 뜻을 쓰세요.
힌트 5, 1, 11, 9 단어: farm 뜻: 농장
1. 2, 4, 1, 3, 6 단어: beach 뜻: 해변
2. 12, 10, 7, 8, 4, 12 단어: toilet 뜻: 변기
F 알파벳들이 어떤 순서대로 움직이고 있어요. 힌트를 참고하여 규칙을 찾아 빈칸을 채워 쓰고, 알맞은 그림에 동그라미 하세요.
1. d y a r → y a r d / r d y a → a r d y
2. v e s t o → s t o v e / o v e s t → t o v e s
172 • 똑똑한 하루 VOCA
Level 3 A • 173

174~175쪽

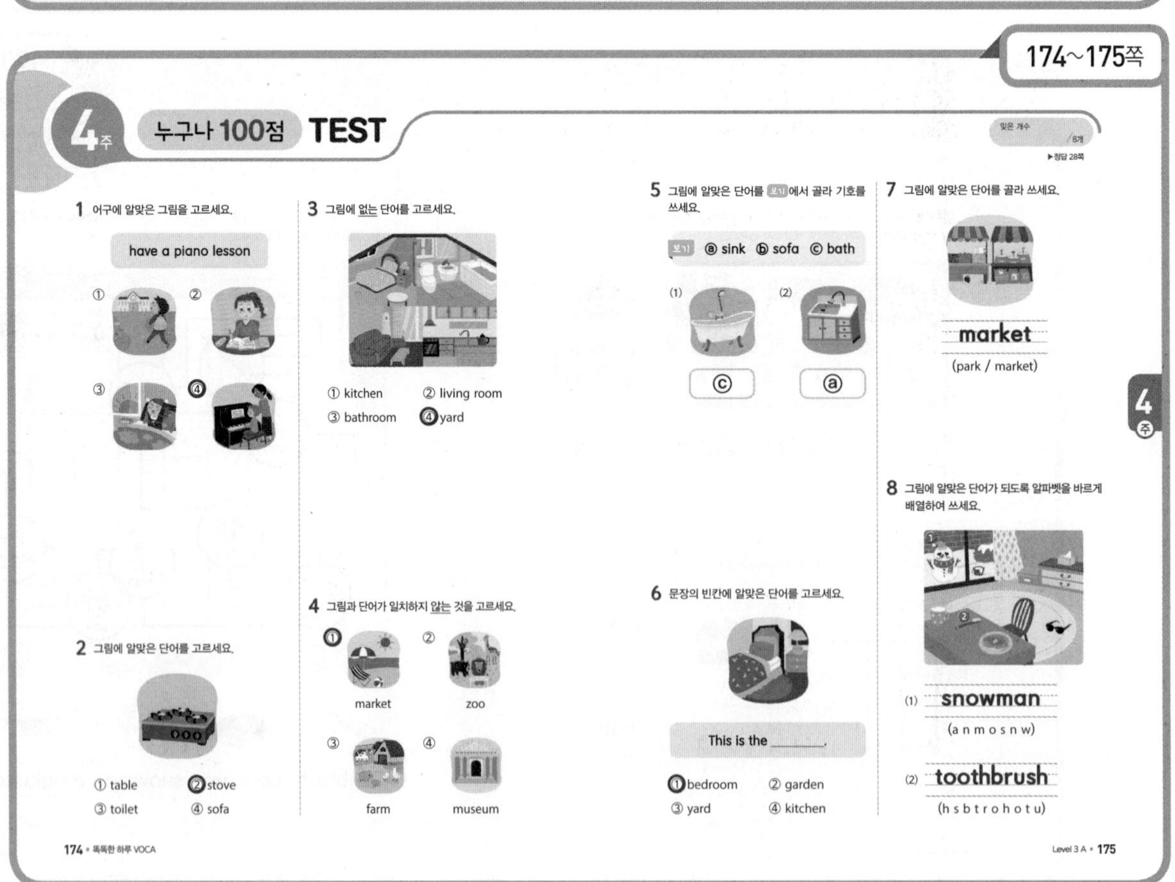
4주 누구나 100점 TEST
1 어구에 알맞은 그림을 고르세요. have a piano lesson ④
2 그림에 알맞은 단어를 고르세요. ① table ② stove ③ toilet ④ sofa
3 그림에 없는 단어를 고르세요. ① kitchen ② living room ③ bathroom ④ yard
4 그림과 단어가 일치하지 않는 것을 고르세요. ① market ② zoo ③ farm ④ museum
5 그림에 알맞은 단어를 보기에서 골라 기호를 쓰세요. ⓐ sink ⓑ sofa ⓒ bath (1) ⓒ (2) ⓐ
6 문장의 빈칸에 알맞은 단어를 고르세요. This is the ______. ① bedroom ② garden ③ yard ④ kitchen
7 그림에 알맞은 단어를 골라 쓰세요. market (park / market)
8 그림에 알맞은 단어가 되도록 알파벳을 바르게 배열하여 쓰세요.
(1) snowman (a n m o s n w)
(2) toothbrush (h s b t r o h o t u)
174 • 똑똑한 하루 VOCA
Level 3 A • 175

기초 학습능력 강화 프로그램

매일 조금씩 **공부력** UP!

똑똑한 하루 시리즈

쉽다!

초등학생에게 꼭 필요한 지식을
학습 만화, 게임, 퍼즐 등을 통한
'비주얼 학습'으로 쉽게 공부하고 이해!

빠르다!

하루 10분, 주 5일 완성의
커리큘럼으로 빠르고 부담 없이
초등 기초 학습능력 향상!

재미있다!

교과서는 물론 생활 속에서
쉽게 접할 수 있는 다양한 소재를 활용해
스스로 재미있게 학습!

더 새롭게! 더 다양하게! 전과목 시리즈로 돌아온 **'똑똑한 하루'**
*순차 출시 예정

국어 (예비초 ~ 초6)

예비초~초6 각 A·B
교재별 14권

예비초: 예비초 A·B
초1~초6: 1A~4C
14권

영어 (예비초 ~ 초6)

초3~초6 Level 1A~4B
8권

Starter A·B
1A~3B
8권

수학 (예비초 ~ 초6)

초1~초6 1·2학기
12권

예비초~초6 각 A·B
14권

초1~초6 각 A·B
12권

봄·여름 가을·겨울 (초1~초2)

봄·여름·가을·겨울
각 2권 / 8권

안전 (초1~초2)

초1~초2
2권

사회·과학 (초3~초6)

학기별 구성
사회·과학 각 8권

정답은
이안에
있어!